海外漢文古醫籍精選叢書・第三輯

2011—2020年國家古籍整理出版規劃項目
2018年度國家古籍整理出版專項經費資助項目
中國中醫科學院「十三五」第一批重點領域科研項目
——我國與「一帶一路」九國醫藥交流史研究（ZZ10-011-1）

蕭永芝◎主編

傷寒論古訓傳

〔日〕及川東谷 注

11

北京科學技術出版社

圖書在版編目（CIP）數據

傷寒論古訓傳/蕭永芝主編. —北京：北京科學技術出版社，2019.1
（海外漢文古醫籍精選叢書. 第三輯）
ISBN 978－7－5304－9996－2

Ⅰ. ①傷…　Ⅱ. ①蕭…　Ⅲ. ①《傷寒論》　Ⅳ. ①R222.2

中國版本圖書館 CIP 數據核字（2018）第282649號

海外漢文古醫籍精選叢書・第三輯・傷寒論古訓傳

主　　編：蕭永芝
策劃編輯：李兆弟　侍　偉
責任編輯：吕　艷　周　珊
責任印製：李　茗
出 版 人：曾慶宇
出版發行：北京科學技術出版社
社　　址：北京西直門南大街16號
郵政編碼：100035
電話傳真：0086-10-66135495（總編室）
0086-10-66113227（發行部）　0086-10-66161952（發行部傳真）
電子信箱：bjkj@bjkjpress.com
網　　址：www.bkydw.cn
經　　銷：新華書店
印　　刷：北京虎彩文化傳播有限公司
開　　本：787mm × 1092mm　1/16
字　　數：321千字
印　　張：26.75
版　　次：2019年1月第1版
印　　次：2019年1月第1次印刷
ISBN 978－7－5304－9996－2/R・2553

定　　價：700.00元

海外漢文古醫籍精選叢書・第三輯

傷寒論古訓傳

〔日〕及川東谷　注

内容提要

《傷寒論古訓傳》係注解闡釋《傷寒論》醫理之書，刊於文化元年（一八〇四），注者爲日本著名「古方派」醫家吉益東洞的門生及川東谷。本書在東洞先生校輯《傷寒論》的基礎上，遵《黄帝内經》《難經》《史記·扁鵲倉公列傳》等古訓，將《傷寒論》藴含之理法概括爲「三法七訓」「一物四事」，另闢蹊徑闡解醫聖張仲景之學術思想、臨證理法，具有較高的學術價值。

一 作者與成書

《傷寒論古訓傳》扉葉題署「東洞吉益先生遺意／東谷及川先生著述」，各卷之首書「日本東奥及川達叔山父著」。又本書之末及川東谷門生藤田直跋云：「而古今之方書，未嘗言及於茲，唯《傷寒》之書論之至矣盡矣。後世祖述者，紛然相仍，更互辯駁，然而要之影響已，焉知論之三訓乎？……獨我及川夫子有覩於斯，作《傷寒論古訓傳》。」可知，本書注者爲日本醫家及川東谷。

及川東谷，生卒年及生平不詳，名達，字叔山，東奥（今屬日本青森縣）人，爲日本古方派四大家之一吉益東洞的門人。

吉益東洞（一七〇二—一七七三），名爲則，字公言，别名周助，號東洞，法號惟德院千峰由古居士。東洞十九歲立志行醫，跟隨祖父門人學習，尤其重視對《傷寒論》的研究。東洞因獨創「萬病一毒説」而成爲日本「古方派」領袖，其説對江户時代中晚期日本醫學産生了極大的影響。東洞的主要著作有《藥徵》《方極》《方機》《醫斷》《建殊録》《類聚方》《醫事或問》等。❶

《傷寒論古訓傳》之首載有文化元年（一八〇四）及川東谷自序一則，言及古醫方術之傳承，引《史記・扁鵲倉公列傳》之言，以明《傷寒論》與扁鵲禁方書之淵源；又頌贊其師吉益東洞，述本書成書之原委。其曰：「今讀《傷寒論》，有三法七訓。推而窮之，例而繹之，其言猶合符，不可罔焉……夫中風、傷寒，雖論病勢，有其詳未可以盡者，故又更設一物四事，以極其變，以大成其論……嗚呼！論而至此，非聖人其孰能之？但恨其書往往有錯簡；後世傳注摻入本文者，亦不爲鮮。東洞先生患之，乃去浮説，正其錯亂，而尚未盡而逝。維予小子，夙奉其遺緒，乃刻意於《傷寒論》，凡三十年稍稍如有得焉。乃以古訓爲規矩準繩……大率因東洞先生之所定而間加管見，遂釋其義，庶幾名之與言相副，可以施諸功實也。」

吉益東洞感於《傷寒論》文字古奥，醫理玄妙而常有錯簡，又因後世修撰而有失原貌，故去其浮説，正其錯亂，新輯《傷寒論》之文。東洞門生及川東谷繼其遺意，對《傷寒論》加以獨特的闡釋，以古訓爲規矩，擬「三法七訓」「一物四事」之準繩，撰爲《傷寒論古訓傳》五卷。

---

❶〔日〕杏雨書屋.（杏雨書屋所藏）医家肖像集［M］.大阪：阪井印刷所，二〇〇八：四一二.

二　主要内容

《傷寒論古訓傳》爲注解張仲景《傷寒論》的著作。全書五卷，將張仲景的原文重新編次，收録《傷寒論》條文計一百六十五條。

《傷寒論》原書以六經爲綱，主要論述了太陽、陽明、少陽、太陰、少陰、厥陰等六經病的脉象、病證、治療與預後。本書仍按六經編次，但不取「辨脉法」「平脉法」「傷寒例」「辨痓濕暍」「辨霍亂病」「辨陰陽易差」「辨不可發汗」「辨可發汗」「辨發汗後」「辨不可吐」「辨可吐」「辨不可下」「辨可下」「辨發汗吐下後」等内容，而專録《傷寒論》中與六經相關的一百六十五條原文。其中，輯「辨太陽病脉證并治上」十四條爲卷之一，載「辨太陽病脉證并治中」五十九條（注者言六十條）爲卷之二，拾「辨太陽病脉證并治下」二十八條爲卷之三，集「辨陽明病脉證并治」二十七條爲卷之四，從「辨少陽病脉證并治」「辨太陰病脉證并治」「辨少陰病脉證并治」「辨厥陰病脉證并治」中選三十七條爲卷之五，分别論述各經病證發生、發展、診斷、治療、預後的一般規律，以及各經病證的同异、异同、注意事項等問題。

注者根據病狀總目、病勢變化、證方加减、變證差异等内容，將各篇分段、分節、分章，據此擇取相應的條文，并注以醫理解析。同時，及川東谷還根據醫理的邏輯關繫，將少量原始條文拆解、合并，或調整先後次序。如卷之二總論載「中段第一節凡十有五章，論凡病發汗吐下後之病勢」。其中，將《傷寒論》第二卷中原本次序靠後的「火逆下之，因燒針煩躁者，桂枝甘草龍骨牡蠣湯主之」一條提到前來，與其他汗吐下條文并爲一處。

綜上，《傷寒論古訓傳》僅摘録《傷寒論》書中與六經有關的内容，拆分、組合少數條文并視論述需要適當調整先後次序。及川氏對所選條文均作詳細解析與闡發，多以「病勢」分析闡述仲景醫理，亦以「病勢」理校部分條文，獨具特色。

三　特色與價值

《傷寒論古訓傳》以《黄帝内經》《難經》《史記·扁鵲倉公列傳》等古訓爲規矩準繩，擇取《傷寒論》中與六經相關的條文，删除後世醫家注解《傷寒論》之浮語，正其錯簡之亂，將《傷寒論》之理法歸納爲「三法七訓」「一物四事」，在繼承前賢的基礎上，融入注者之獨見，較好地梳理與闡釋了仲景之方證、醫理，特色鮮明。

（一）或去或留，重新編次

《傷寒論古訓傳》遵從吉益東洞對《傷寒論》條文的編輯，以古訓爲規矩，去浮説，正錯亂，按六經分篇，并在此基礎上另闢蹊徑，依「三法七訓」「一物四事」將各篇分爲段、節、章，注以按語，着力理順《傷寒論》醫理之内在邏輯關繫。

吉益東洞《類聚方》自序曰：「張氏之爲方也，雖復稍後扁鵲，而其藥齊（劑）之富，法術之存，蓋莫古焉……遂以扁鵲爲法，昭張氏之藉，久之而後知扁鵲之與張氏醫法一也。」❶《傷寒論古訓傳》及川

---

❶〔日〕吉益東洞：類聚方［M］．日本早稻田大學圖書館藏明和元年（一七六四）刻本．

東谷自序云：「自古言醫之方術者，何嘗不憲章《傷寒論》而爲之極者哉。其論蓋肇於伏羲，演於神農，成於黄帝……《金匱玉函》是秘……是以或謂之青囊之書，或謂之禁方之書……所謂禁方書者，蓋謂《傷寒論》也。扁鵲試諸功實，莫不效驗，而未得傳之其人，其横死於秦也，其書埋没無復識者五百年。及東漢長沙太守張仲景偶獲此書而奇之，遂出而公之天下。於是《傷寒》之名著，而青囊、禁方之稱已……今讀《傷寒論》，有三法七訓……何謂三法？一曰汗，二曰吐，三曰下……何謂七訓？一曰分類，二曰淺深，三曰病勢，四曰异同，五曰同异，六曰虚實，七曰先後。其分類、淺深、病勢猶之綱，异同、同异、虚實猶之目，而先後是其治訓也。」

本書體例簡明，表現爲條文、注者按語和各章(條)總結三個方面同爲大字，分别以頂格、空一格和空兩格的形式區分。及川東谷保留叙述病證總綱、變證、辨證辨病之條文，删除與總述無關、疑爲後世醫家注釋《傷寒論》之字句。如卷之一保留「太陽之爲病，脉浮，頭項强痛而惡寒」這一闡述太陽病病證要旨的條文；同卷載録「太陽病，發汗，遂漏不止，其人惡風，小便難，四支微急，難以屈伸者，桂枝加附子湯主之」，作爲「汗後病勢屬中風者」的變證總目、加減準繩。又如，同卷删去了「病人身大熱，反欲得近衣者，熱在皮膚，寒在骨髓也；身大寒，反不欲近衣者，寒在皮膚，熱在骨髓也」之條目，或許及川氏認爲此處爲後人摻入之語，無須保留。

書中主以「三法七訓」，即汗、吐、下三法和陰陽、六經、病勢、异同、同异、虚實、治法七訓，輔以「一物四事」即日數與發汗、吐、下、誤逆四事，將各篇條文合并、拆分及歸類，據所分段、節、章調整少數條文的次序。如卷之二載按語「第二節凡八章，辨傷寒及太陽病勢而詳之，以論异同、同异」，此即欲辨傷寒、太陽病，而將八條原文歸爲一節；卷之四爲詳「少陽爲陽明之病勢」，更改句讀，并增添個別文字，將《傷寒論》中「陽明病，脉浮而緊，咽燥，口苦，腹滿而喘，發熱汗出，不惡寒，反惡熱，身重……梔子豉湯主之」與「若渴欲飲水，口乾舌燥者，白虎加人參湯主之」「若脉浮，發熱，渴欲飲水，小便不利者，豬苓湯主之」「若（此字爲注者新增）脉浮而遲，表熱裏寒，下利清穀者，四逆湯主之」，將原本分開論述的四個條文，合爲醫理貫通的一章。又如「陽明病潮熱，大便微鞕者，可與大承氣湯，不鞕者，不與之」，删去原條文中辨是否有燥結的方法及警示之語「若不大便六七日，恐有燥屎，欲知之法，少與小承氣湯……不轉矢氣者，慎不可攻也」，僅保留與仲景行文體例相符的方證。

（二）發皇古義，闡釋原文

《傷寒論古訓傳》多次提到的「古訓」「古之訓」，即《黄帝内經》《難經》《史記・扁鵲倉公列傳》之理，爲《傷寒論》醫法之宗。注者以「古訓」之法闡釋《傷寒論》，并獨闢蹊徑，以「三法七訓」「一物四事」析證。其中，尤其强調「病勢」，不重訓詁而專論醫理，重點揭示《傷寒論》理法之奥妙，舉前條而詳後條隱微之義，以此推彼，使仲景之意的然而明。

注者將中風、太陽病、傷寒三者之病勢分别概括爲勢急、主發，勢緩、主結，薄裏、或結或伏，并認爲張仲景另設部分條文乃用以補充未能詳及之證。如卷之一按曰：「蓋設中風、傷寒，雖專論病勢，及其徵也，有未可以盡者，是以更設發汗、吐、下及誤逆，盡病勢變化之幾微也。」此外，及川東谷以「病勢」注解、闡釋、校正條文。如卷之一太陽病總證條文之後，按「病者，閉也，否停爲病」，此爲「病勢」在注解病證方面的應用；同卷太陽病「下之後」，按「作者欲明桂枝湯證之變而難其言，故設下後論其病勢也，非特下後然」，乃以「病勢」解析張仲景設「下之後」以論病勢之理。又如卷之二「發汗復下之後，不可更行桂枝湯。汗出而喘，無大熱者，可與麻黄杏仁甘草石膏湯主之」，按曰「舊本此章作發汗後，又重出太陽下篇，而發汗後作下後。達按：此證發汗復下之後之病勢也」，即注者通過分析「病勢」，對醫理、文字所作的校正。

及川氏重視將「病勢」與前後條目互辨相結合。如卷之一「太陽病，頭痛發熱，汗出惡風者，桂枝湯主之」，按語云「太陽表位爲所在，病勢發動上行而不伏，謂之太陽病。比諸中風，發勢極緩，緩則結，故先舉頭痛，詳太陽病勢主結也……發熱汗出，病勢可詳焉。惡風，所在可察焉……然於中風，則鼻鳴乾嘔惡寒而不汗出，不頭痛；於太陽病，則頭痛汗出而無鼻鳴乾嘔，又不惡寒」，此處由「病勢」切入，以太陽病、中風、傷寒之主證分析變證。再如卷之二所載按語「總目章，脉陰陽俱緊者曰傷寒，謂病勢深重難發也。傷寒，脉浮緩。浮者，在表而發揚之候。緩者，對緊言之。故其緩者，發後之病勢欲愈之候。若無發後之證而緩者，病勢緩之候」，即以卷之一傷寒主證條文爲依據，分析病勢，闡明「發勢」前後緩脉之義理。

同時，及川氏亦注重判别關鍵字及證眼，并對仲景之醫法做出較爲實用、易於理解的提煉和總結。如「而」「反」，意爲按前文（或前法）本應無此症，現在却反而……等；「仍」字，含病證表現本應依法而變，如今却未變之意；「必」字，指依法據理一定會……提示如有差异，則須詳細分析原因；「發」字，揭示發散、不伏不結的病勢形態等。又如卷之一按語曰：「太陽病曰發汗必麻黄湯，傷寒曰發汗必大青龍湯，發汗後曰發汗必桂枝湯，是爲發汗之法」，提煉升華了「三法」中汗法之規矩；卷之二「桂枝加厚朴杏仁湯」所主條文後按「凡曰太陽病，主表兼外；凡曰下之，主内兼裏」，高度概括了《傷寒論》論治兼顧表裏的古奥之理。

綜上所述，《傷寒論古訓傳》爲注解張仲景《傷寒論》之專書。注者及川東谷以古訓爲規矩準繩，以「三法七訓」「一物四事」爲經緯，尤重病勢闡發及關鍵字、證眼的注解，采用前後互校的方式，分析、推斷仲景之醫理，雖不重字詞訓詁却明晰關鍵字詞義理之妙，并以簡明的語言提煉與總結《傷寒論》之深奥理法。因此，本書重在闡明醫理醫法，具有一定的臨床實用性及較高的學術研究價值，對學者理解、運用《傷寒論》有較大裨益。

四　版本情况

《傷寒論古訓傳》初刊於文化元年（一八〇四），於天保十二年（一八四一）復經補刻。在日本，此書現存版本如下：文化元年（一八〇四）刻本，藏於日本京都大學圖書館和乾乾齋文庫；天保十二年（一八四一）補刻本，由早稻田大學圖書館收藏；另有刊年不詳刻本，則由市立刈谷圖書館收藏。❶在中國國内，主要有三種不同傳本，依次爲：文化元年（一八〇四）刻本，藏於北京大學圖書館、吉林大學白求恩醫學部圖書館、中山大學圖書館；天保十二年（一八四一）補刻本，由中國醫學科學院圖書館收藏；日本鈔本，存於中國國家圖書館。❷

❶〔日〕國書研究室．國書總目録：第四卷[M]．東京：岩波書店，一九七七：三七四．

❷薛清録．中國中醫古籍總目[M]．上海：上海辭書出版社，二〇〇七：六九．

本次影印采用的底本，爲日本早稻田大學圖書館所藏林文精堂天保十二年（一八四一）補刻本。此本藏書號爲「ヤ09 00137」，全書五卷五册，和式四眼裝幀。封皮題寫「傷寒論古訓傳」書名及各卷主要内容。扉葉刻「東洞吉益先生遺意/東谷及川先生著述/傷寒論古訓傳/浪華城南/發兑書鋪/林文精堂製本」。書首有及川東谷文化元年甲子（一八〇四）自序一篇。其後，另有半葉刻「東谷及川先生門人校正家」，羅列了參與校正此書的九位及川東谷門人之里籍、姓氏。正文各卷之首記有「日本東奥及川達叔山父著」及校正者姓氏。正文處四周雙邊，烏絲欄，每半葉十行，行二十字。版心白口，上單黑魚尾，書口上部書「傷寒論古訓傳」，魚尾之下刻卷次及葉碼，多數葉面的版心下部鎸「蒙園藏」三字。正文以「。」句讀，旁注日文送假名并附有標明語序的日文返點。卷三之末附紙記述與醫無涉的四部中國著作，内容包括書名、著者、版本、册數及日文解題。卷五之末有文化元年（一八〇四）及川東谷門生藤田直所作跋文。書末刊刻牌記鎸有「蒙園藏版/文化元甲子年冬至之日……/天保十二年辛丑五月補刻……」，并有出版發行機構的名稱、地址等信息。

總之，《傷寒論古訓傳》爲日本著名醫家吉益東洞門人及川東谷所撰，係注解《傷寒論》之專著。本書上溯《傷寒論》與扁鵲禁方之源，遵以「古訓」，立「三法七訓」「一物四事」爲綱，重新編次條文，解析張仲景醫論之理法，具有一定創見，爲研究學習《傷寒論》提供了新的思路。本書在中日兩國均有較多傳本，被多家機構收藏，其學術價值應當受到重視。

曲　璐　蕭永芝

傷寒論古訓傳
太陽第一之上
ヤ武 9
137
1

東洞吉益先生遺意
東谷及川先生著述

傷寒論古訓傳

浪華城南
發兌書舗

林文精堂製本

傷寒論古訓傳序

自古言醫之方術者何嘗不憲章傷寒論而為之極者哉其論蓋肇於伏羲演於神農成於黄帝世待其人口相授傳至有周恐其久而失傳乃筆之於書金匱玉函是秘亦必傳之其人周之衰也其官廢其政已然其書尚未墜於地在人是以或謂之青囊之書或謂之禁方之書此雖其史歛其詳不可得而聞

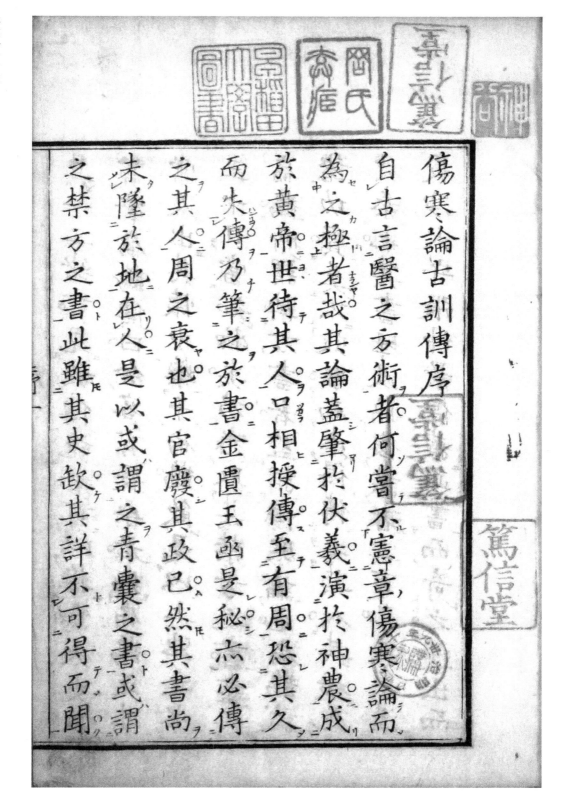

其一二緒言。見於傳記者。可以推爲太史公嘗著扁鵲傳曰。舍客有長桑君。知扁鵲之非常人。出其懷中藥予扁鵲。飲是以上池之水。三十日當知物矣。乃悉取其禁方之書盡與扁鵲。所謂禁方書者。蓋謂傷寒論也。扁鵲試諸功實。莫不效驗。而未得傳之其人。其橫死於秦也。其書堙沒無復識者五百年。及東漢長沙太守張仲景偶獲此書而奇之。遂出而公之天下於是傷寒之名著而青囊禁方之稱亡後世遂以為仲景之所作蓋不深思也何以徵之太史公載扁鵲之言曰越人之為方也不待切脈望色聽聲寫形言病之所在聞病之陽論得其陰聞病之陰論得其陽病應見于大表此其古訓蓋長桑君所傳也今讀傷寒論有三法七訓推而窮之例而繹之其言猶合符不可罔為所謂懷中欒者蓋稱

古訓。比之神樂也。飲是以上池水者。蓋謂其致處也。三十日視見垣一方人者。蓋謂視病見其所在也。傳神其事者。蓋以其禁祕也。何謂三法。一曰汗。二曰吐。三曰下。通利發達統之汗。而不得稱之發汗。何謂七訓。一曰分類二曰淺深。三曰病勢。四曰異同。五曰同異。六曰虛實。七曰先後。其分類淺深病勢。猶之綱異同同異虛實。猶之目。而先後是其治訓也。

一分類其病有發動上行之勢是為陽類有陷沒下行之狀是為陰類非陰非陽其狀勢託諸陰陽分之也二淺深陽類分為三等曰太陽曰少陽曰陽明各摽其病勢概陽位之淺深也陰類分為三等曰太陰曰少陰曰厥陰亦各題其病狀畧陰位之淺深也陰陽其位相表裏淺深凡六等而病之所在不與也三病勢夫欲知病之所在未詳病勢臨事而

危故更論病勢約諸二道為一曰太陽病中其勢暴急劇發而不伏者是為中風二曰太陽病中其勢暴急難發而薄裏倏然結為忽然伏為其證涉於陰陽表裏内外交錯無常轉變化移無極者是謂傷寒論主傷寒而客中風相對其勢相反者以辨證候之疑殆以使之取之也四異同謂病証異而病之所在同五同異謂病證同而病之所在異此皆病

勢變化之所致而疑殆之所由生六虛實主胃言之病不關胃為虛結胃為實故論虛實不繫於血氣古之訓七治法先表而後裏先外而後內法也不問表裏內外先急而後緩權也此之謂先後夫中風傷寒雖論病勢有其詳未可以盡者故又更設一物四事以極其變以大成其論何謂一物日數是也何謂四事發汗吐下及誤逆是也日數者論病位

之淺深及病勢之劇易緩急發汗吐下者論發動伏結以詳虛實內陷正變重明病位也誤逆者論病之所在及證候之轉化此一物四事之所以極變化而成其論也既極變化則同異異同較然病之所在者爲故以陰陽為經以六等為緯約勢二道極變一物四事不必索諸脉色聲形論知病之所在所謂視見垣一方人者豈不爲信然乎嗚呼論而至

此非聖人其孰能之但恨其書往々有錯簡後世傳註攙入本文者亦不為尠東洞先生患之乃去浮説正其錯亂而尚未盡而逝維予小子夙奉其遺緒乃刻意於傷寒論凡三十年稍々如有得焉乃以古訓為規矩準繩定為太陽篇凡一百有一章陽明篇凡二十有四章少陽篇凡二章太陰篇凡三章少陰篇凡二十有三章厥陰篇凡七章總計一百

有六十章太宰因東洞先生之所定而間加
管見遂釋其義庶幾名之與言相副可以施
諸功實也達曰商書稱樂周官建醫師抑之
雖小道上古神聖所作宜乎亘萬世而不喪
也然凡物必待其人著鄉使微司馬子長張
仲景氏古訓禁方或寥々乎無聞今也千載
之下萬里之外吾儕得與於斯者豈非二子
之賜哉作傷寒論古訓傳

文化元年甲子冬至之日識
之於洛陽僑居

及川達叔山父撰

東谷及川先生門人挍正家

讃岐高松　岩瀬服季章
仝　築池貞子幹
仝　宮武寛得衆
仝　小佐治隆祐
安藝廣島　立川省菴
仝　澤潤子廣
山城　藤田以直方光
仙臺　細川友直子益
東都友人　鐸木壽君茂

傷寒論古訓傳卷之一

日本　東奥　及川達叔山父著
門人　讃岐　宮武寛得衆
友人　東都　鐸木壽君茂　挍正

傷寒論

傷寒非必謂其所感象病勢於寒以為名也以其病勢暴急劇深難發而薄裏渉於陰陽或結或伏轉化無極故詐佯生嫌疑詐佯生嫌疑則不能以見其所在不能見其所在則方不可得而施焉是以聖人設二經六諱象之病勢遂定之病位乃對

中風於傷寒論病勢以詳其証候使其無嫌疑也証候已無嫌疑則病之所在可得而見焉故詳傷寒之病勢而不胘於其証候者之於萬病其猶示諸斯乎論者古之所謂稽古也其言自周始謂取於古以處於今其形則異而其道則一也因轉廣用之而傷寒論中其論最易見者如大青龍湯証論傷寒大青龍湯方發病在表而劇者也故太陽中風脉浮緊發熱惡寒身疼痛不汗出而煩躁者大青龍湯主之此其病應在表而劇者無嫌疑也傷寒脉浮緩身不疼但重乍有軽時無少陰証者

大青龍湯發之此其病應嫌疑於少陰又嫌疑於病勢緩而對之中風以論之則知傷寒之勢劇急而伏知病勢伏則病應在表而劇者無嫌疑矣所謂聞病之陰論得其陽者是也此其証候則雖轉化而異其所在則歸於大青龍湯之一途是謂之論此其最易見者而通論莫不盡然故題曰傷寒論而方意亦在其中矣

太陽第一之上

太音泰陽者謂發動上行之勢夫陰陽者取象於日之向背也日離也向離則背坎坎水也可觀諸

卦象而知焉耳因轉擬萬類故發動上行者為陽
陷沒下行者為陰病動於表而其勢發動上行太
甚者概謂之太陽病故太陽病以表為病位也太
陽上篇凡十有四章分為前後大節前大節凡八
章又分之小節為始中終始小節三章論太陽病
及中風傷寒之狀情以為總目章中小節二章論
中風之勢及太陽病勢以詳証候之變由病勢也
終小節三章舉桂枝湯証之變及不桂枝湯証者
以論桂枝湯之方意也始中終合凡八章是為前
大節總論病勢以明証候及方意也後大節凡六

章又分之小節為始中終始小節二章舉發汗後病勢屬中風者及下後病勢屬傷寒者論桂枝湯之變遂舉加去之法以為衆方加去之準繩也中小節二章由桂枝湯証舉變之大者及變之微者論所在交錯之無極遂示治法之應不可先傳也終小節二章舉似而非者以警診候之不可忽也始中終合凡六章是為後大節總論病勢之幾微正其証候也前後合凡十有四章是為太陽上篇

太陽之為病脉浮頭項強痛而惡寒

病者閉也否停為病故能知病之所在解其否停

則血氣復安平泰。夫人身之所以生活榮華，以血氣運行之協和也。故病者，血氣而使之病者，水。水者，外物也，能養血氣，雖則能養，苟失其常度，則亦能為病。凡有形者，水氣之精化而成者也。所謂水者，統穀肉菓菜言之。凡病非自内生，從外入而成於内。内先已成病，而後外感天地之氣化而動爲。非猝然病也，然外感天地之氣化而動，則人以為猝然。而醫則不。古之言曰：上工治未病，此斥内先已成病而未動言之。動而能知其所在，是為中工。動而視其所在，若存若亡，是為下工。夫傷寒論者使學者造於中工也若能造於中工之域則上工之域亦可得而庶幾矣所謂病之所在者表裏內外交錯無常唯變所適而無其極故聖人作傷寒論教學者詳其病勢辨証候之異同論得其所在而不必問其所感焉此二經六緯及二道之所以統萬病也表位為所在而發動上行病勢緩易而不伏是謂太陽病然太陽病而兼伏者有之猶桂枝二越婢一湯証是也而桂枝二越婢一湯証者太陽病及桂枝湯証之至變而其伏不關於太陽病及桂枝湯方論詳見於桂枝二越婢一湯之條

所謂脈者血氣運行之動脈也故先論脈而察血
氣運行之得失察血氣運行之得失而詳其病情
詳其病情而决其病勢决其病勢而辨同異異同
辨同異異同斯知病之所在法也然其病位無岐
途其病証無嫌疑者不待脈其有岐途者其有嫌
疑者而繫之脈論得其所在故古訓云不待脈色
聲形蓋非不取謂不必也自皮毛至孫絡是為太
陽表頭項是為太陽表之病位也而所在不與爲
所謂太陽病比諸中風病勢極緩緩則結結則為
强為痛故彊痛總是為太陽病之本候所謂中風

以有剩發之勢不遑於結雖則有結雖則有痛易解易散故中風主發太陽病主結所以異也所謂傷寒而痛以其難發也若夫應痛不痛伏也伏者但是傷寒之勢為然故其勢緩之與難發其情不同則其証候之別亦可自辨脈浮發揚之候頭項强痛謂頭痛項强痛者結而發之候强者結而徵發勢之候强痛俱病勢緩之候而者承上起下之辭使之能分上下而相對也惡寒勢欲發之候所謂脈浮者統表候頭項統表位惡寒統表証然脈浮不必表候頭項不必表位惡寒不必表証故脈

浮頭項强痛者其所在未可必謂之表乃對之惡
寒的實脈浮頭項强痛之為表候以辟裏候之脈
浮及裏証之頭項强痛也惡寒亦未可必謂之表
証乃對之脈浮頭項强痛的實惡寒之為表証以
辟少陰之惡寒也故必云而轉換相對詳其所在
以為太陽病之總目章故其証不獨脈浮頭項强
痛而惡寒者為太陽病但舉其病情病位病勢審
其候法譬諸三足之相持而鼎定焉其脈則浮其
病位則頭若項其証則惡寒脈者所以詳病情也
病位者所以辨表裏内外及淺深也証者所以決

病勢也合斯三者則病之所在不得不著矣此其候法是謂畀足法古之訓也所謂畀足法者典也所謂古訓者謨也由典候之由謨論之典為經謨為緯經緯相隨則其所在見矣所謂視見垣一方人者以此也然其所在已著者不拘為論中或舉脉不及於証或舉証不及於脉或舉病位或不舉皆以所在已著也或問曰太陽病証猶冝發熱為主今錯而不舉何也曰發熱之為表証以有惡寒若惡風也故太陽表証惡寒足以徵矣發熱之為証所關博焉以論中已詳不贅於此

右一章舉太陽病情及病位病勢為太陽病之總目章遂揭典経以審候法也

太陽病發熱汗出惡風脈緩者名為中風

凡病従外入而成於内内先已成病而後外感天地之氣化而動為非猝然病也故通論不言其所感専論病勢正其証候所以不言暑濕温涼而約諸風寒也寒者難發而結風者發動而散其勢相反者也故風寒者非謂其所感病勢象之風寒以相反者相對以明証候之變同異異同之所由此以論病勢正証候為本論之義者可實而驗也太

陽病中其勢暴急劇發者是為中風中風對傷寒而設焉所以論傷寒也中者傷之淺也風者寒之易而發越散慢為情則病狀亦猶若斯發熱汗出發越散慢之候惡風動表位而病勢緩之候以病勢之急已發越為緩與太陽病勢之緩不同故惡風脉緩於此二者發越之情見焉緩者對緊之辭觀中風對傷寒而設也不舉浮承諸首章太陽病詳中風傷寒皆為太陽病中之分名故脉緩猶云浮緩也發熱汗出惡風脉緩總舉發越散慢之狀詳病勢發劇若斯以為中風之總目章其証不獨

發熱汗出惡風脈緩者為中風但舉其病勢發越散慢之狀詳中風之情狀轉化鮮也或問云中風傷寒其勢俱暴急今如無其勢何也曰非無其勢但其勢不的然耳夫太陽病勢主結應有强痛反無强痛先發熱汗出者豈不暴急剽發之勢乎惡風脈緩發後之病勢是以得緩易此非無其勢但其勢不的然耳所以然者中風之總目章而不要諸功實固不關於治方故至太陽中風桂枝湯証形容其勢徵諸功實以示其的然也或問云三陰三陽皆有中風之勢乎曰否夫中風傷寒俱為太

陽病中之分名故在太陽為正然病勢之變或有及於少陽已在少陽率與傷寒無異故小柴胡湯証合舉傷寒中風論病勢等然中風輕易而傷寒劇重是以中風鮮轉化於傷寒則轉化不可測故傷寒曰與中風曰主之以示中傷之勢異又舉或以下諸証觀中風則無有之証而傷寒則有之之証辯詳于小柴胡湯條下由是觀之陽明病無有中風之勢而況於陰類乎

右一章舉太陽中風之病勢及病位病証為中風之總目章以明中風之情狀也

太陽病或已發熱或未發熱必惡寒體痛嘔逆脉陰陽俱緊者名曰傷寒

中風傷寒暴急之勢則同發伏之情則反中風暴急劇發為情傷寒暴急伏結為情所以異也傷者中之深也寒者風之劇而凝結蟄伏為情則病狀亦猶若斯或已發熱或未發熱病勢暴急而難發之候伏結之勢已見必惡寒在表位之候欲發之情明矣所以稱太陽病也體為陰位統四肢筋骨言之體痛結而發之候其痛猶被杖與身疼不同嘔逆動於經之候與乾嘔不同故體痛嘔逆是為

裏証陰陽猶云表裏統陰陽位言之緊者發而難發之候病在表之初繫於陰動於經見陰陽表裏俱病故其証不獨或已發熱或未發熱必惡寒體痛嘔逆脉陰陽俱緊者為傷寒但詳陰陽俱病伏結之勢夫若斯以為傷寒之總目章明其轉化不可窮極也

右一章詳傷寒之病勢及病位病情也已上三章為始小節概太陽風寒之狀勢是為總目章論同異異同之本源古訓曰聞病之陽論得其陰聞病之陰論得其陽所以有傷寒論也故長

桑君與傷寒論於扁鵲先授古訓比諸神藥若徵古訓惡乎得而讀傷寒論哉

太陽中風陽浮而陰弱陽浮者熱自發陰弱者汗自出嗇々惡寒淅々惡風翕々發熱鼻鳴乾嘔者桂枝湯主之

太陽為病位而病勢剽發者是為太陽中風夫脉者証之源也有此脉斯知有此證故法先論之脉而証候從之然其病位無岐途其証候無嫌疑者不必拘爲所謂不待切脉是也陽猶表陰猶裏陽浮者病勢發揚之候陰弱者病勢已發越之候不

關於裏之情見焉而者。分陰陽使之相對之辭故
陽浮者斯知熱自發陰弱者斯知汗自出雖無汗。
而有汗之例是以本文其証無汗。而不擧無汗。所
謂脈爲証之源是也嗇々淅々翕々皆形容暴急
剽發之勢也。總目章以但欲詳中風之状情不要
諸事實。固不關於治方概其勢耳是以於太陽中
風桂枝湯証形容暴急剽發之勢徵諸事實以示
其的然也。鼻鳴乾嘔及惡寒皆無汗之變所謂証
候由病勢而無極是也。夫鼻者與皮毛同其位故
無汗之變爲鼻鳴也。又病勢雖剽發汗尚未出變

為乾嘔為惡寒若汗出而惡寒者屬少陰故桂枝湯証汗出應惡風亦陰弱之應由是觀之本論之所主在必詳病勢而論証候以索病之所在所謂不待脈色聲形是也曰桂枝湯証而無汗惡寒何也曰以病勢急劇發路反窒譬之猶行軍數萬猝然而發發而急則塗充行塞反擾亂焉故以桂枝湯証反無汗惡寒乃知中風之勢暴急劇發也主者無與二之辭服桂枝湯解後無轉証也凡主之云者皆倣之

右一章詳中風之勢暴急劇發而無伏結之狀

以論桂枝湯之所在及方意而明之也詳見于
方意握機傳

太陽病頭痛發熱汗出惡風者桂枝湯主之

太陽表位為所在病勢發動上行而不伏謂之太
陽病比諸中風發勢極緩緩則結故先舉頭痛詳
太陽病勢主結也發熱不至翕々惡風不及淅々
以病勢緩也頭痛病位可見為發熱汗出病勢可
詳爲惡風所在可察爲此其病位無歧途証候無
嫌疑是以不舉其脈也然於中風則鼻鳴乾嘔惡
寒而不汗出不頭痛於太陽病則頭痛汗出而無

鼻鳴乾嘔又不惡寒此其証候因病勢而變者可
實而驗矣夫病勢者雖不關於所在証候因變則
嫌疑交相生嫌疑交相生則所在之跡闇然而隱
故先能知病勢而後其証候之變同異異同可以
左右也其証候之變同異異同可以左右而後証
候不涉於嫌疑証候不涉於嫌疑而後所在之跡
的然而彰故未知病勢臨事而危此本論之所以
設中風傷寒而論病勢也夫中風者對傷寒而設
爲故通論擧中風必對傷寒爲例而今不對諸傷
寒何也曰中風之勢莫正於桂枝湯証故先擧桂

枝湯証論中風之正勢也傷寒之初發當發汗者
與大青龍湯為法無有桂枝湯証所以然者傷寒
難發為情伏結為知桂枝湯証知發而不知伏是
以中風有桂枝湯証傷寒之初發無有桂枝湯証
故先對諸太陽病辨中風之勢夫若斯異而証候
若此變以詳異同終擧傷寒之類桂枝証者遥對
於中風的實傷寒之勢涉於陰陽而無極也
右一章擧太陽病勢及病位病証以詳桂枝湯
証病位所在及方意也已上二章為中小節明
其証異而其所在同者病勢之使然以示異同

也

太陽病項背強几々反汗出惡風者桂枝加葛根湯主之

葛根湯証結於表位而徹發勢故結於項不及於頭與桂枝証之發勢劇不同焉夫背者非太陽表位而結項之餘強及於背故統之項不分其位汗出惡風桂枝湯証也若葛根証為主則應無汗故汗出曰反凡病在表位而汗出是為發勢劇發勢劇者桂枝湯之方意而非葛根湯之方意所以加葛根也

右一章擧桂枝湯証不経汗下之變詳葛根証桂枝之不與專論桂枝湯之方意以明應變之徵又必叙葛根証於此者對前章頭痛以明頭項强痛為太陽病勢之本候也以下擧桂枝湯証之變或不桂枝湯証者反復其方意示之也

又詳見于方意握機傳

太陽病下之後其氣上衝者可與桂枝湯若不上衝者不可與之

作者欲明桂枝湯証之變而難其言故設下後論其病勢也非特下後然太陽病桂枝証得下仍不

轉其所在雖有發勢為下故不得發越其氣所以
上衝也故發熱汗出惡風者其氣不上衝乃知下
後上衝者表未和也若夫桂枝証下之而内陷以
轉其所在者非此例焉雖有桂枝証在其証未動
當下之証急則先下之桂枝証動乃與桂枝湯雖
已下之不為逆若夫桂枝証已動者而下之是為
逆故葛根黄連黄芩湯証曰反下之以明其逆也
太陽病外證未解者不可下也下之為逆古之訓
也凡發汗後病勢属中風吐下後病勢属傷寒皆
以太陽病勢言之也若傷寒吐下後之病勢反發

動者。非此例。爲蓋設中風傷寒。雖專論病勢及其微也。有未可以盡者。是以更設發汗吐下及誤逆盡病勢變化之幾微也。而發汗吐下及誤逆。或有病位轉而所在不轉者。或有病位所在俱轉者。或有病位所在俱不轉者。當須索之各條下。

右一章舉桂枝湯証之變。重詳桂枝湯証有三等之別。以明方意之所一定也。所謂三等者。太陽中風之勢。太陽病之勢。太陽病下後之勢是也。

太陽病。三日已發汗。若吐若下。若温鍼仍不解者。此

傷寒論古訓傳　卷之一

為壞病桂枝不中與也觀其脈証知犯何逆隨証治
之

凡舉日數詳病位之淺深及病勢之劇易緩急也
太陽病一二三日是為發汗之期三四日為吐期
四五六日是為通利發達之期六七日為下期是
三法之定數古之訓也而及此數者斯知其變温
鍼發結其期同於通利發達故通利發達及温鍼
皆屬發汗而不得稱之發汗八九日謂病勢之緩
若其治不得法凡病治得其法率六七日為解期
至十餘日者為再期謂其深重所謂一物之訓也

陽勢陰狀。表裏交錯。無可執為主證。是謂壞病。皆
誤逆之所致。其主證伏而微也。而桂枝知證不知
伏。故曰。桂枝不中與也。明其為伏證。以示壞病之
狀情也。若者。涉於兩歧之辭。或有三日已發汗。若
不可吐者而吐之。以為壞病者。若下若溫鍼。亦猶
如此。謂吐下溫鍼。其治不得其法。皆能為壞病也。
觀。比觀也。夫觀脈證之道。假如若傷寒十三日不
解。譫語者。以有熱也。當以湯下之。若小便自利者。
大便當鞕。而反下利。脈調和者。知醫以丸藥下之。
非其治也。若自下利者。脈當微厥。今反和者。此為

内實也調胃承氣湯主之所謂鼎足法是也既觀
脉証斯知其誤逆既知其誤逆則壞証可得而省
爲壞証既省則正証斯見爲正証既見各隨其証
則方斯可處矣
右一章舉不桂枝証者詳壞病之狀情反示桂
枝之方意又舉觀脉証之法以明壞病之所在
亦可知也古訓云聞陽論得陰聞陰論得陽所
謂觀脉証也已上三章爲終小節専論桂枝湯
之方意也小節合始中終凡八章爲前大節總
論証候之變因病勢而異又反復方意而論之

也。

太陽病。發汗遂漏不止。其人惡風。小便難。四支微急難以屈伸者。桂枝加附子湯主之。

太陽病。曰發汗。必麻黃湯。傷寒。曰發汗。必大青龍湯。發汗後。曰發汗。必桂枝湯。是為發汗之法。發汗後。病勢屬中風論。結而發動之變也。而曰發汗後者。或有但示表已解者。或有但示皮毛已解。而孫絡未解者。當須索之各條下。漏者。皮毛不振之候與出不同。陰陽不和之所致。乃知有結也。汗及惡風。皮毛已解。在孫絡之候。桂枝之所宜。不發熱。不煩汗漏之變應然四支微急難以屈伸因發汗而動結筋脈之候四支為體為裏位所以加附子也附子証應惡寒而否結而微發勢之候小便難亡津液之候亦汗漏之變與不利不同汗止陰陽自和則當自愈或曰四支微急難以屈伸者猶表裏俱病表裏俱病傷寒之勢應然而發汗後病勢屬中風不能無惑曰所謂幾微之勢是也請試示其概夫陰陽表裏俱病所謂傷寒之勢非中風之勢然桂枝加附子湯証非病勢薄裏而結附子証在陰位先已成病今因發汗而動故病勢緩易尚無

薄裏之勢其勢發而結結而發者可見矣故雖表裏俱病病勢屬中風而不屬傷寒此太陽病發汗後之變所謂幾微之勢也蓋傷寒論設風寒雖專論病勢及其微也有未可以盡者故重設發汗吐下及誤逆以盡病勢變化之幾微者謂此也

右一章擧太陽病發汗後表裏俱病其勢發而結結而發者詳附子証桂枝之不與也

太陽病下之後脈促胸滿者桂枝去芍藥湯主之若微惡寒者去芍藥方中加附子湯主之

下後病勢屬傷寒論薄裏之勢以詳或結或伏之

變也脈来數時一止復来者名曰促促者結於表位之候胸滿者病位也病勢因下薄裏之候而所在不與也夫桂枝証發而無薄裏之勢桂枝去芍藥湯証結於表位而有薄裏之勢故設下後論薄裏之勢以詳桂枝去芍藥湯証之病位所在及方意也乃知桂枝去芍藥湯証無汗不發熱微謂其深微惡寒是為附子証前章發汗後發而結所以不惡寒也後章附子証不結所以惡寒也夫少陽裏位統諸心胸脇故病位在心胸脇者是為裏証然脈促結於表位之候的然而彰乃知發勢以下

故薄裏也亦在表位病勢緩者雖不得下勢或及胸猶麻黄湯証有胸滿所以然者胸在裏位居高其位近於表也故陰陽表裏内外之病位由病勢不必為其候所以有鼎足法也或曰太陽病下後有桂枝証者當其氣上衝而不上衝者何也曰所謂病途變化之不可端倪者是也蓋其氣上衝者病勢頗緩是以雖得下不至於結雖不能發越不至於薄裏所以上衝也其不上衝者病勢頗劇是以得下而結發勢薄而胸滿所以不上衝也所以去芍藥也古之所謂執者失之豈虚言哉信不可

執者。可默而識矣。

右一章舉下後之變。詳下而薄裏之狀。亦桂枝湯之變。已上二章為始。小節舉桂枝湯之變。以示處變之法也。前章舉加於本方之變。後章舉去於本方之變。遂舉去而加之變。以明應變之無極。詳見于方意握機傳。

太陽病。發熱惡寒。熱多寒少。脉微弱者。此無陽也。不可發汗。宜桂枝二越婢一湯。

發熱惡寒。在表位而發動之候。脉弱者。不問表裏。病勢自發越之候。雖無發越之形狀。法是為發越之候故發熱惡寒脈弱者桂枝湯證可見焉而桂枝湯證應惡風今反惡寒者無汗之變猶太陽中風桂枝湯證故舉脈弱明桂枝湯方意也熱多寒少微發勢之候在表而熱結於裏之勢脈乃為微也無陽對於脈微謂無發動之勢所謂伏也故對無陽曰不可發汗辟麻黄湯也夫越婢湯證在表位而伏為方意故大青龍湯證或有伏者以兼越婢湯證也熱多寒少脈微者病勢兼伏之候越婢湯證可見焉而桂枝證多越婢證少此太陽病勢及桂枝湯證之兼伏者可實而驗矣詳見于方意

握機傳或問曰病表位為所在而發動上行病勢極緩易而不伏者是謂太陽病而桂枝二越婢一湯証兼伏伏者唯是傷寒之勢為然則不能無惑曰此論桂枝湯之至變其伏不關於太陽病勢及桂枝湯方也夫傷寒之勢發而難發因而薄裏或結或伏其薄裏以其難發也太陽病勢主發而結其結以其勢緩易也桂枝二越婢一湯証脉弱者病勢自發越之候無苟薄裏之勢無苟薄裏之勢則太陽病勢而非傷寒之勢又桂枝湯方知發而不知伏發熱惡寒脉弱者桂枝湯証而不關於伏

者可見矣故曰桂枝二越婢一湯証論桂枝湯之至變其伏不關於太陽病勢及桂枝湯方者豈不慥々爾乎

右一章舉太陽病及桂枝湯証之兼伏者論桂枝湯之至變盡方之變化也而其方名分量後人之所述猶弗畔焉故今從之不敢議焉

太陽病初服桂枝湯反煩不解者先刺風池風府卻與桂枝湯則愈

反煩者結而欲發之候刺風池風府詳結項也而仍未至葛根証亦非桂枝之所在故用刺法以解

其結此治法之微要妙之域卻退也

右一章舉不與於桂枝証者以盡變之細微遂示刺法亦可以為治之佐又詳桂枝湯証之所在也已上二章為中小節由桂枝湯証舉變之大者及變之微者以論所在交錯之無極遂示治法之應不可先傳也舊本叙此章於桂枝二越婢一湯之前蓋非古訓之例故今列諸桂枝二越婢一湯之下桂枝去桂加茯苓朮湯之上以為家傳說詳於外傳

服桂枝湯或下之仍頭項强痛翕々發熱無汗心下

滿微痛。小便不利者。桂枝去桂加茯苓朮湯主之

服桂枝湯。頭痛當愈。仍頭痛者。非桂枝証也。發熱無汗。猶在皮毛也。而不惡寒惡風。不可以為表証矣。乃知不關於皮毛也。項强雖似葛根証。已無表証。則亦不可以為葛根証也。心下滿微痛。小便不利。水氣在經之候。由是觀之。項强者。水氣之及表位者。類於結胸大陷胸丸証而非也。故曰或下之。豫辟大陷胸丸証也。乃知表為所在而兼裏也。表為所在而猶無表証者。水氣在經而半動表位也。然頭痛發熱。未免桂枝湯之方意而無桂枝証。

所以去桂枝也。而其証在表位。兼水氣在經之變
所以加苓术也。或曰表為所在。而猶無表証。已無
表証。則何以知表為所在乎。曰難言然。不言竟不
能解。其惑請試言其概。夫頭項強痛。雖不為表証。
頭項者。表位也。以桂枝湯之所在。而無桂枝証。故
無表証之可以見焉。特見有苓术之証而已。其無
表証之可以見者。猶如傷寒不大便六七日。頭痛
有熱者。未可與承氣湯。其小便清者。知不在裏。仍
在表也。當須發汗也。夫頭痛有熱而不惡寒若惡
風。不可以為表証也。於是傷寒之勢。不大便已六

七日。則猶宜與承氣湯。然。然而其小便清者。在表之候。則所以發汗也。其猶無表証者。以病勢將結胃也。此証猶無表証者。以水氣在經也。故其頭痛者。雖不惡寒。若惡風。而非苓朮之所由。乃知桂枝湯之所在。而無桂枝証也。曰表。為所在者。已聞命矣。然亦何以知必為桂枝湯之所在也。曰。頭項者。表位也。是為葛根湯之所在。則無所關於皮毛。已不關於皮毛。則固勿論於不為大青龍麻湯湯之所在。已非葛根麻黃大青龍湯之所在。則可以知為桂枝湯之所在矣。已。然桂枝湯之所在而無桂

枝証桂枝湯之至變其所在最幽微也是以先輩
或以去桂為去芍藥之誤然桂枝加葛根湯以下
論桂枝湯之變至此去芍藥之變已論上則可以
去桂為正文矣
右一章舉桂枝湯証之所在而無桂枝証者又
詳桂枝証也服桂枝湯仍頭項强痛者亦嫌於
刺風池風府令由古訓對前章以明同異論桂
枝湯之變示應變莫尚焉也
傷寒脉浮自汗出小便數心煩微惡寒脚攣急及與
桂枝湯欲攻其表此誤也得之便厥咽中乾煩躁吐

逆者。作甘艸乾薑湯與之。以復其陽。若厥愈足温者。更作芍藥甘艸湯與之。其脚即伸。若胃氣不和。譫語者。少與調胃承氣湯。若重發汗。復加燒鍼者。四逆湯主之

陰陽倶病。而有伏結之勢。是為傷寒。故其証渉於陰陽無極也。脈浮自汗出。動於太陽表位之侯。小便數。心煩。微悪寒。動於少陰裏位之侯。脚攣急。結經之侯。凡有表証者。必無小便數。故聞小便數。乃知脈浮自汗。不關於表位。然脈浮自汗出。微悪寒。尚嫌於為表証。故設與桂枝湯之誤。而論之。以示

不關於表位之的實也脈浮自汗出小便數心煩微惡寒在少陰而結結而發動散慢病勢似中風而非也是為甘草乾薑湯証夫傷寒之急不經太陽徑結於經入於少陰竟波及於陽明故其証發動散慢雖似中風其勢薄裏轉變化移而無極者傷寒之勢而非中風之勢也厥咽中乾煩燥吐逆者因與桂枝湯之誤使之激動之候而小便數有二途為一則熱類一則寒類外已解而煩小便數大便因鞕者是為熱類少陰為所在病勢陷沒結心胸小便數心煩微惡寒者是為寒類厥者迫心

胸而陥沒之侯。與者。須後証之辟。若者。涉於両岐之辟。若厥愈。謂有厥不愈者也。不愈者。四逆湯主之。此文猶云。若厥愈足温者。更作芍藥甘草湯與之。其脚即伸。若厥不愈者。四逆湯主之也。無寒熱之變。但脚攣急者。入経結筋脈之侯。其方意亦可察焉。又設調胃承氣湯及四逆湯証而論之。詳傷寒之勢。涉於陰陽無極也。胃氣不和。讝語者。内實之侯。是為調胃承氣湯証。胃氣不和。與胃中不和不同。胃中不和。謂下利。是為虚。胃氣不和。謂大便鞕。内實之侯。讝語亦有二途焉。一則少陽。一則陽明。論諸畧足法。乃其所在著焉。猶譫語對胃氣不和。而其實著也。陽明証譫語亦有三等。為其一。發潮熱有燥屎者。其脈或遲或微。此外已解。而專結胃之候。其二。大便鞕。或潮熱。其脈滑而疾者。雖結胃不成燥屎之候。其三。外已解。俄然胃氣不和者。病勢急而結胃之候。凡結胃之劇易淺深。必由外發越之已未。是為三承氣湯之等殺。詳見於陽明篇。若重發汗。復加燒鍼者。四肢厥逆。是為四逆湯証。故曰。重發汗。復加燒鍼。詳脈浮自汗出。小便數心煩。微惡寒。腳攣急者。以其証有輕重。治方亦有二途也。一則脈浮自汗出。小便數。心煩。微惡寒。脚攣急。得桂枝湯。便厥者。甘艸乾薑湯証是也。一則若得桂枝湯。而不動。重發汗。仍未動。復加燒鍼。便大汗出。手足厥冷。或四肢拘急。或乾嘔者。四逆湯証是也。復重復也。復於發汗也。主者。無與二之辭故四逆湯主之。則脚亦伸。不須與芍藥甘草湯。故曰主之。

右一章。舉傷寒之嫌於桂枝証者。以示傷寒之初發。必無桂枝湯証。遂論傷寒之勢。涉於陰陽無際。旁詳治法有先後也。已上二章。為終小節。

舉似而非者警診候之不可忽也小節合始中終凡六章是為後大節總論病勢之幾微正其証候也前後合凡十有四章為一段總論三法七訓之體要明醫之典經又論桂枝湯之方意反復盡微盡大以為衆方握機之範則又必設誤治反的實桂枝湯証之所在及方意以詳同異而以桂枝湯証太陽中風之正証必論諸始又必論傷寒終相對之明通論之所主在論病勢也

傷寒論古訓傳卷之一

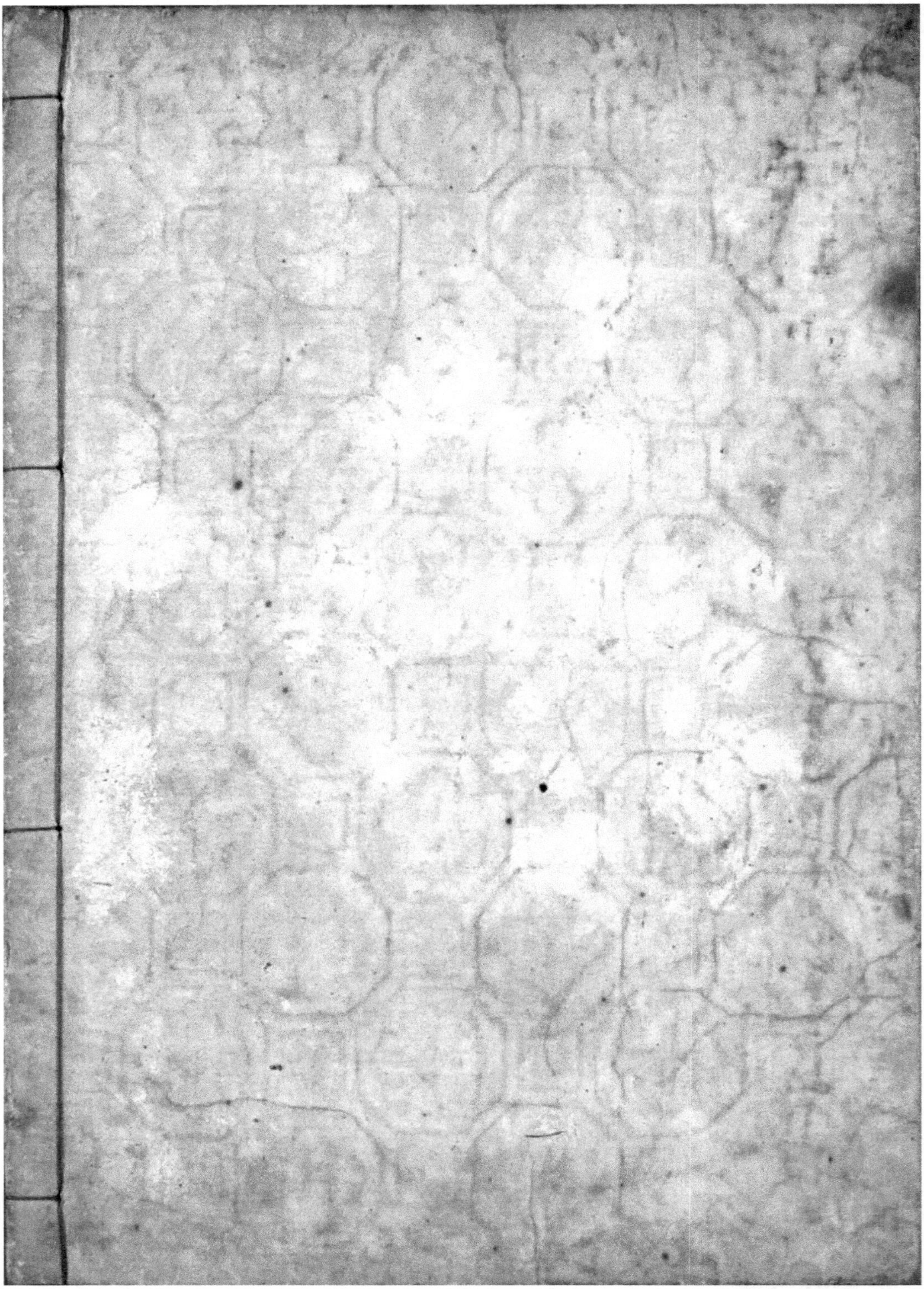

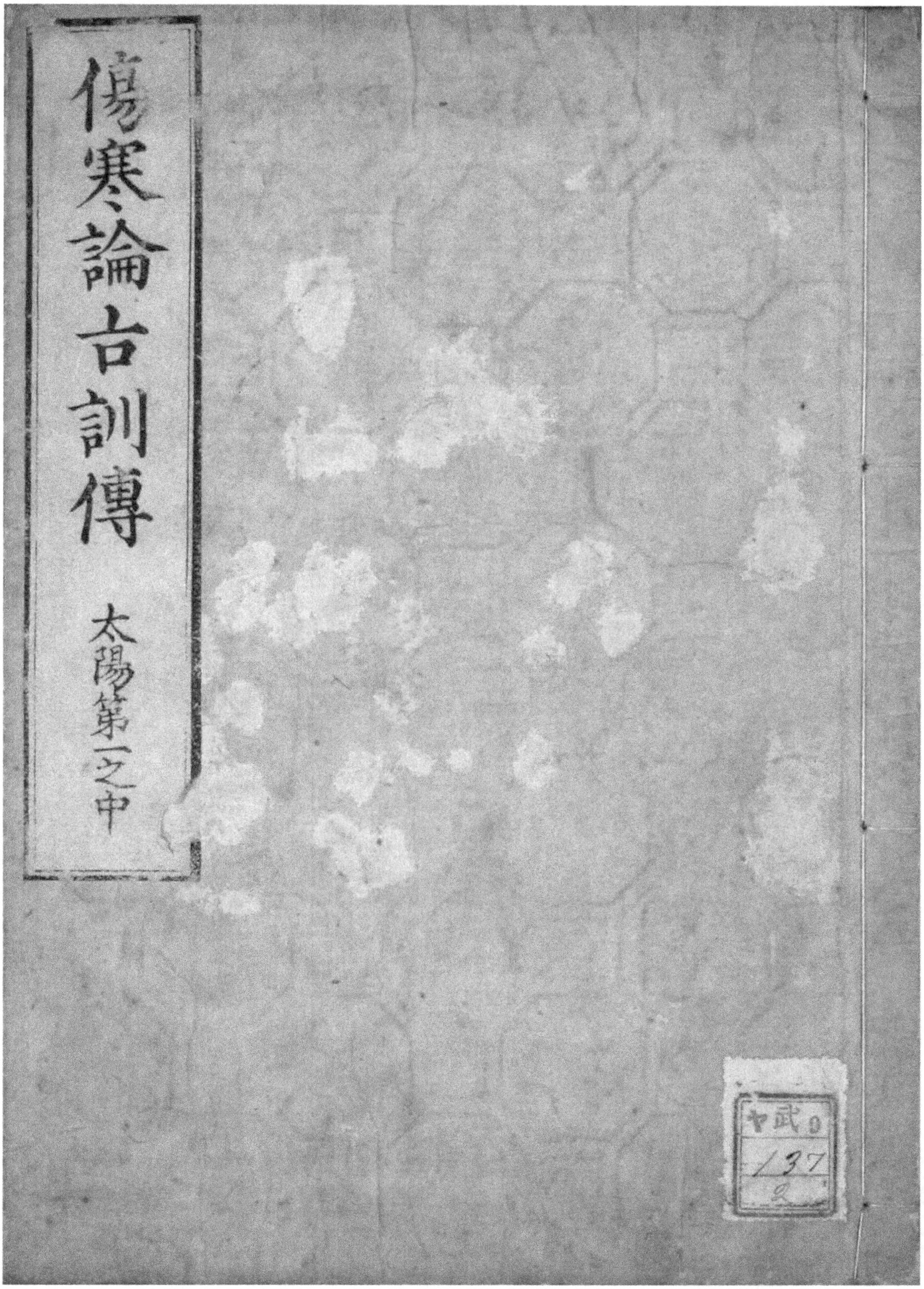
傷寒論古訓傳
太陽第一之中
ヤ武
137
2

門
號 137
卷 2

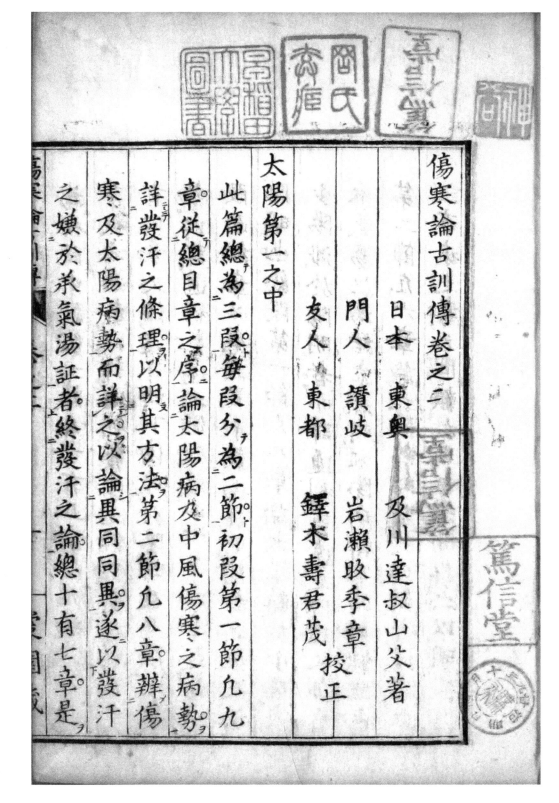

傷寒論古訓傳卷之二

日本　東奥　及川達叔山父著
門人　讃岐　岩瀬敗季章
友人　東都　鐸木壽君茂　校正

太陽第一之中

此篇總為三段。每段分為二節。初段第一節凡九章。從總目章之序。論太陽病及中風傷寒之病勢詳發汗之條理。以明其方法。第二節凡八章。辨傷寒及太陽病勢而詳之。以論異同同異。遂以發汗之嫌於桂枝湯証者。終發汗之論。總十有七章。是

為初段中段第一節凡十有五章。論凡病。發汗吐
下後之病勢。以詳通利發達之條理。第二節凡十
有四章。又論發汗吐下後。涉於陽明及少陰之病
勢。以詳通利發達之條理。總二十有九章是為中
段。而結章必舉調胃承氣湯証。明陽勢之極及於
陽明也。終段第一節凡八章。論太陽轉於少陽。或
少陽涉於陽明者。亦詳通利發達之條理。又調胃
承氣湯証為結章者。明太陽病轉陽明之條理也。
第二節凡六章。論太陽熱結。關於血証者。以詳血
証畜瘀之勢。又間類於血証者。而詳之。以明同異

異同。及有岐逯者。總十有四章。是為終段。已上凡六十章。總是為太陽中篇

太陽病。項背強几几。無汗惡風。葛根湯主之。

項者。太陽表位。而背屬體。然以項背相密邇。結項之餘。波及於背也。強。結之候。几几。形容結之劇狀也。凡太陽病。以發勢緩。必結。所以頭項強痛。為本候也。而葛根湯証。在太陽表位。發勢極緩。是以其証無汗惡風。而不及發熱惡寒。且不至於喘結。亦為強。不至於痛。皆發勢緩之候。桂枝葛根之所以異也。是以中風無有葛根証。而夥於傷寒。乎若夫

劇者。至於口噤不得語。口噤不得語者。項背之結薄於頰顋。又以發勢緩益結也。又其氣上衝胸者因結而激也。所以然者。太陽病雖發勢緩。本有發動上行之勢。雖有發動之勢。其結劇則難發。難發之極。激而其氣上衝也。故病勢猶劇急者。因結而激之所使然。而非病勢之自然。此其病勢。與中風傷寒異者。可實而驗也。詳見于方意握機傳

右一章舉在太陽表位。發勢極緩易者。以明與中風傷寒其勢異。以詳葛根湯証之病位所在及方意也。

太陽與陽明合病者。必自下利。葛根湯主之。

凡病在表位。而發動者。為太陽。內動於胃。苟無嫵於陰狀者。為陽明。合病謂其証候表裏內外不可辨晳也。故病之所在一途。而其應動於二途或三途。假如猶太陽與陽明合病者解。其太陽。則陽明從而解。亦猶太陽與少陽合病。或三陽合病者解其少陽。則太陽陽明從而解也。自下利。謂不須服藥而下利也。故太陽病勢。及於心胸。而波於胃中者。其証發熱無汗。反不惡寒。而自下利。凡外証之發勢緩者。及於心胸。及於心胸。而不得發。則必波

於胃中波於胃中而病勢劇者外將自解所謂實
也若波於胃中而病勢緩者外仍不能自解是以
終不至於燥熱所以下利也葛根湯証以病勢極
緩易外不能劇發内亦不能專結故雖波於胃中
其勢不至於燥熱則自下利為必也故曰必者對
葛根湯証之病勢極緩易言之非對合病以麻黃
湯及白虎湯証之合病不下利可實而驗也凡為
合病者雖麻黃湯及黃芩湯白虎湯証皆病勢緩
易之所致太陽與陽明合病自下利者必為葛根
証可知矣曰白虎湯証病勢極劇者而為之緩易

何也曰病勢極劇者白虎湯証之正候而其緩易者變也夫病勢劇者其極則伏伏則病勢反緩不特白虎湯証若傷寒脈浮緩大青龍湯証亦是也白虎湯証三陽合病伏之變而病勢緩易之所致也

右一章舉合病重的實葛根湯証太陽表位為所在而病勢極緩易也以上二章以明異同

太陽與陽明合病不下利但嘔者葛根加半夏湯主之

太陽與陽明合病者不麻黃湯証則葛根湯証率

不過此二途爲故若麻黄湯証則病勢薄於上而
胸滿若葛根湯証則無薄於上之勢無薄於上之
勢則應下利之病勢斯可知爲故必曰不下利詳
葛根湯証自下利爲必也夫嘔者經爲所在兼表
勢發越於上故雖應下利之病勢以其勢發越於
上遂亡發越於下之勢所以不下利也於是乎葛
根湯証之病勢極緩易者亦益明矣而嘔者非葛
根湯之所與故加半夏應之也

右一章舉葛根湯証之變重詳合病之勢遂明
葛根湯証之病位所在及方意又示治法應變

之要也。

太陽病。桂枝証。醫反下之。利遂不止。脉促者。表未解也。喘而汗出者。葛根黄芩黄連湯主之。

利遂不已。所在轉裏而結心胸心下之候。脉促。結表之候。喘者。在表病勢及裏之候。汗出。對於脉促。雖不悪風。猶表証也。若桂枝証結表。具勢及裏而喘。則不當得有汗。猶桂枝去芍藥湯証。不得發熱汗出之勢轉為胸滿者也。今其脉促。喘而汗出。乃知不桂枝証。然則此所在。未可知為何所在。於是脉促喘而汗出者。論其証候。則在表而結。結而病勢極緩故雖汗出不惡風其勢雖及裏喘而不至於胸滿凡在表而結結而病勢緩者無若於葛根者知桂枝之發勢因誤下而變因轉於葛根証已桂枝証及下之利遂不已者在裏之候猶誤下後下利數十行甘草瀉心湯証所在轉裏其歸與彼同然彼則在表者悉轉裏此則桂枝証其所在半轉裏半仍在表雖在表桂枝失其勢轉於葛根所以異也

右一章設誤治重詳葛根証之所在遂明葛根黃芩黃連湯証之病位所在及方意也以上二章前章謂治法應變之要後章謂隨變之法總

四章為一聯首章舉葛根証之所在及其病勢以詳桂枝葛根之所以異也第二章重的實葛根証病勢極緩易以明異同也第三章舉應變之要遂詳葛根証之條理第四章重敷衍葛根証之所在以示其的實總論葛根湯証之病位所在及方意遂明治法應變之要也

太陽病頭痛發熱身疼腰痛骨節疼痛惡風無汗而喘者麻黃湯主之

太陽病比諸中風病勢極緩是以必結為頭痛及身疼腰痛骨節疼痛是其應也疼者痛之淺也在

表之候身腰骨節並舉之者不必並發然腰痛之為表候以身疼也骨節以疼痛故是為表候若骨節痛者是為少陰裏候惡風者惡寒之易而發勢緩之候無汗而喘者喘因無汗葛根黄芩黄連湯証喘而汗出者喘不關於汗其異者可實而驗焉麻黄杏仁甘草石膏湯証汗出而喘者伏証之汗亦不關於喘由是觀之喘與麻黄杏仁甘草石膏湯証相類而發伏之勢相反則不須各辨其所在著焉凡麻黄湯証似急而緩似劇而易故太陽病曰發汗則麻黄湯為法中風傷寒之初發法為無

有麻黃湯証。唯傷寒之易証。有衄之變者。有麻黃湯証在。故傷寒。不發汗因致衄之章。不叙諸始。而必叙諸大小青龍湯之下。以詳傷寒之勢。非麻黃湯之所適也。於是麻黃湯証。其病勢之變。可默而識焉。詳見于方意握機傳

右一章舉麻黃湯証之病位所在。以詳病勢緩也。

太陽與陽明合病。喘而胸滿者。不可下。宜麻黃湯主之。

病之所在一途。而其應動於二途或三途者。是為

合病由是觀之此証蓋脈浮發熱無汗反不惡寒喘而胸滿或不大便數日而無所苦也凡為合病之變者得諸病勢緩易故太陽與陽明合病率不過於葛根麻黃二湯証而唯所在之淺深方意不同也曰葛根麻黃湯証俱表位為所在而有淺深者何也曰三陰三陽六等之淺深猶綱六等亦各有淺深猶目其如目欲使學者黙而識之也假如葛根湯麻黃湯証俱太陽為所在麻黃湯証淺葛根湯証深故麻黃湯証病位在頭葛根湯証病位在項若病勢及裏而為合病則葛根湯証自下

利病位在下麻黃湯証胸滿病位在上故徵諸病位之高卑乃知所在之淺深古之訓也亦猶小柴胡湯証少陽裏位為所在其証胸脇滿半相動於表裏病位相兼表裏也胸者高在上脇者卑在下故分諸胸脇則表裏淺深之應可默而識矣喘而胸滿者明胸滿之由喘以分裏証之喘由胸滿也然胸滿者嫌於裏証可下故必云不可下宜者權時之辭對厚朴大黃湯言之主者無與二之辭故云宜主之者權而决之辭也它皆倣之

右一章舉麻黃湯証病勢極緩以明方意以詳

異同遂的實傷寒中風無有麻黃湯証也

太陽病十日以去脉浮細而嗜臥者外已解也設胸滿脇痛者與小柴胡湯脉但浮者與麻黃湯

脉浮發揚之候外運之勢是也細者外已解結裏之候十日以去而仍有柴胡湯証或有麻黃湯証在者論太陽病勢之極緩易重詳麻黃湯証之緩非中風傷寒之勢也嗜臥勞倦也非病証而亦候之一端也胸滿屬外脇痛為裏脉浮細者胸滿脇痛之候若太陽病轉入少陽則至脇下鞕滿乾嘔不能食往來寒熱脉沈緊也但胸滿脇痛而無嘔

無往來寒熱者太陽之屬少陽者亦病勢之緩可見也若十日以去不至於柴胡証脉但浮者表仍未解也必不拘其日數與麻黃湯以視後証若何也雖若胸滿脇痛脉但浮者先與麻黃湯以視後証若何此太陽病勢之最緩易者也夫太陽病十日以去仍不解者轉陽明為常數故不曰表已解曰外已解也外者對內之辭內者謂胃也然病勢之劇易緩急不可以常數而幾故今舉病勢最緩易者以詳常數之不可幾也設猶若也而假設之辭故設柴胡証以明所在之轉常數之外也言太

陽病十日以去常數應轉陽明而病勢緩易則不及於內實若胸滿脇痛屬少陽則不拘於常數先與小柴胡湯以視後証若何也病勢尚仍緩易脉但浮而不至於細則亦不拘其常數雖胸滿脇痛先與麻黃湯以解其外俟其脉細而與小柴胡湯以視後証若何此其所在轉化之變由病勢之劇易緩急則不可以常數而幾矣治法各隨其証古之訓也夫所在轉化之常數率以太陽病為法然太陽病亦有劇易緩急則隨其病勢不拘於常數也此專欲詳麻黃湯証之所在及其病勢故假設

柴胡証胸滿。對前章陽明証胸滿。以明麻黃湯之方意。遂示小柴胡湯之方意異也。但者。對脈細言之。與者。須後証之辭。

右一章舉太陽病勢之最緩易者。遂設柴胡証。以詳麻黃湯証之病位所在及方意。重示麻黃湯証。與中風傷寒之勢異也。以上三章總明異同之所由在病勢也。

太陽中風。脈浮緊。發熱惡寒。身疼痛。不汗出而煩躁者。大青龍湯主之。若脈微弱。汗出惡風者。不可服。服之。則厥逆筋惕肉瞤。此為逆也。

中風以暴急劇發為適傷寒以暴急伏結為適所以異也脈浮緊病勢猶傷寒浮者發揚之候緊者將發而難發之候身者屬表位疼者痛之淺也結而發動之候是為表証而中風劇發結非其情故雖結易解其結與太陽病不同而況於傷寒乎不汗出而煩躁者謂其煩躁汗出則已乃詳太陽表位之煩躁也而大青龍湯証病雖在表以其勢急劇有熱結裹之勢表是以難發所以疼痛及煩躁也然以有暴急劇發之勢故先發熱而惡寒從焉竟無伏幾所以為中風也太陽病麻黃湯証曰脈

浮緊無汗發熱身疼痛率同於大青龍湯証無惡寒及煩躁為異已而惡寒及煩躁皆發劇勢急之候由是觀之太陽病之緩易中風之劇發其勢異者不須辨而明矣故麻黄大青龍之二湯病位同表而麻黄湯皮毛為所在大青龍湯在皮毛兼経其病勢劇急者可知矣是以中風無有麻黄湯証太陽病無有大青龍湯証矣若脈微弱汗出惡風者不可服此重論大青龍湯之方意而的實之也脈微者結而不發動之候病勢陰類者也脈弱者病勢自發越之候汗出惡風其發越之應顯然而

見。而發以有熱結裏之勢表証難發者。是為大青龍湯之方意。故其脈浮緊。此其應而其脈微弱非其應也。若服之則迫心胸而動經所以厥逆筋惕肉瞤也。

右一章舉中風之狀勢。以對傷寒。詳其所以異。遂舉陰類及自發越者。亦非大青龍湯之方意。以警其誤逆。反明大青龍湯之方意。詳見千方意握機傳。

傷寒。脈浮緩。身不疼但重。乍有輕時。無少陰証者。大青龍湯發之。

太陽病中。以有伏結之勢為傷寒脈浮發揚之候。緩者。緊之反。對緊言之。不曰主之曰發之者詳大青龍湯之方意也。詳見于方意握機傳脈緩身不疼但重者。伏之候。而嫌於少陰証沈重者也。乍有輕時者。發動之候。故以脈浮乍有輕時的實太陽表位之伏。所以發之也。凡病証有時者結之候各隨証治之。脈浮緩對脈浮緊也。始總目章曰太陽之為病脈浮第二章曰脈緩者。名為中風第三章曰。脈陰陽俱緊者。名曰傷寒。而中風傷寒皆太陽病中。病勢之異者。則脈各兼浮可知也。故承首章脈浮而畧之以的實中風傷寒同太陽病也由是觀之前章脈浮緊猶若傷寒此章脈浮緩猶若中風而曰太陽中風脈浮緊傷寒脈浮緩者明病証之變轉不可端倪也總目章脈緩者名為中風脈陰陽俱緊者名曰傷寒舉其法也夫法者一定而不變烏亦不可得而變者也故徵諸事實舉中風傷寒之勢其變不可端倪以詳中風之緊其勢終歸於緩傷寒之緩其勢緊之極以示法之一定而不變烏亦不可得而變之的實也請試論其勢曰總目章脈緩者為中風夫中風以剽發為適故其

脈緩者。以其病勢自發越也。曰。總目章脈陰陽俱緊者曰傷寒。夫傷寒者。所感深重。以難發為情。難發之極。或結或伏。其脈緊者。以其難發也。若病勢伏則無陽。又雖未伏。已有伏勢。則發勢緩。故其脈反緩。緊之極者也。太陽中風。其脈反緊者。中風之變。其勢如難發也。然不汗出而煩躁者。不須服藥。有將發之勢。已發則脈得緩。故其脈雖緊。其勢不得弗歸於緩也。傷寒其脈反緩者。傷寒之變。緊極而有伏勢者。故脈緩反得傷寒之情。此為傷寒之正証也。故脈緩者。名為中風。脈陰陽俱緊者。名曰傷寒。謂法之一定而不變。爲亦不可得而變也。彼則舉法。此則徵於事實。以示其的實。故此章舉伏者。對諸前章發動者。以詳傷寒之勢及於中風也。而身不疼但重者。猶陰狀。然其證何由大青龍湯發之乎。曰。難言。雖然請試言其概。夫病證之變無極。不可以一期。爲何者。其證由病勢而轉化。故其證難爲不知病勢者論矣。曰總目章脈陰陽俱緊者。曰傷寒。謂病勢深重難發也。傷寒脈浮緩浮者。在表而發揚之候。緩者。對緊言之。故其緩者發後之病勢欲愈之候。若無發後之證而緩者。病勢緩之候。若病勢緩。則法當結。結而有發揚之勢者。法當身疼痛。而身不疼。但重。於是乎知病勢伏於表位也。病勢且伏。則發勢緩。於是乎知脈緊反緩。所以不發熱惡寒也。然病表位為所在。未涉於陰位。雖有伏勢。仍不能無發勢。故脈未亡浮。証仍乍有輕時。於是乎益知伏表位之的實。已伏証明。則傷寒之勢。斯可知也。凡傷寒之勢難發者。率以有結裏之勢。表難發也。故表位為所在。有結裏之勢者。大青龍湯發之也。若劇者。且伏。亦大青龍湯能發之。故傷寒則大青龍湯。太陽病則麻黃湯。是為發汗之法而大青龍湯方合麻黄越婢二湯之方也各詳本方之方意以索其的實則大青龍之所由斯可知矣耳此舉脈証之反於法者詳証因病勢而罔極也此章實論中之要作者之所精思膚慮學者尤當因古訓攻之以索其義爲所謂聞病之陽論得其陰聞病之陰論得其陽者是也首章舉大青龍湯之正証以詳中風之變尾章舉大青龍湯之變証以明傷寒之正不徼玅玄通見垣之一方者孰能與於此

右一章舉傷寒之正侯以的實反中風之勢遂

詳病証之由病勢而轉化焉以明大青龍湯証之病位所在及方意參列二章詳異同已上九九章為前節總論太陽病及中風傷寒之勢詳發汗之條理以明其方法也

傷寒表不解心下有水氣乾嘔發熱而咳或渴或利或噎或小便不利少腹滿或喘者小青龍湯主之

陰陽俱病為傷寒以太陽病例之表先解而裏証動為順令表不解裏証已動此傷寒之勢與太陽病勢異而小青龍湯之定証也乾嘔發熱而咳者兼表裏之証故曰表不解心下有水氣先詳病之

所在。表裏相兼。以明方意也。咳者。結証也。或以下諸証。謂心下有水氣而結之劇也。或者。本應有。而時無之之辭。故其証皆以本方治之。與若不同也。而表不解。心下有水氣者。發熱而咳。為定証。曰表不解者。皮毛孫絡。為所在。曰心下有水氣者。在經兼少陰。又必不曰水氣在心下者。詳心下。病位而非所在也。

右一章舉表裏相兼。混於一途者。以詳傷寒之正候。以明小青龍湯証之病位所在及方意也。詳見于方意揆機傳。

傷寒。心下有水氣。欬而微喘。發熱不渴。服湯已渴者。
此寒去欲解也。小青龍湯主之。
前章病勢少且易。故先舉發熱而後咳。詳有發勢
而結尚少也。此章病勢老且劇。故不曰表不解而
徑曰心下有水氣。以詳病勢已老而結之劇。所以
先舉欬喘。而後發熱也。而病勢之老與少。不必拘
於日數。故病之初發也。有已老且劇者。又雖經數
日有病勢仍少且易者。故小青龍湯証前後章俱
不舉日數者。詳病勢之老少。不拘於日數也。而小
青龍湯以欬為正候。微喘。亦結之候。已結為主。則

應渴而不渴其不渴者結而鮮發動之候所謂閒病之陽論得其陰者故不渴亦候之一端也凡渴者發動而結之候故服湯已渴者發動欲解之應非病証也

右一章舉小青龍湯証之結劇者重明方意也凡傷寒之為結也以病勢劇結爲太陽病之為結也以病勢緩結爲所以異也已上二章論病勢之老與少以詳異同前章主發後章主結故以病應觀之前章劇而後章易以病勢論之後章劇而前章易也凡病勢之發動也其應猶劇

而病勢反易發勢之微也其應猶易而病勢反劇異同同異之所由而起為作者論其病勢詳其証者可益徵也

太陽病下之微喘者表未解故也桂枝加厚朴杏仁湯主之

凡曰太陽病主表兼外凡曰下之主内兼裏今曰太陽病下之謂外証頗解有當下之証急者而下之下而外証復動也雖下之不為逆故不曰反下也而下後之病勢屬傷寒謂其勢薄裏也故曰太陽病下之微喘者表未解故也者論表裏相兼其

証混於一途其勢與傷寒同歸以示與小青龍湯証相類也若太陽病反下之客氣動膈者其証不啻微喘短氣躁煩心中懊憹若陽氣内陷者或為結胸或為發黄故曰表未解故也者詳下之之非逆及心胸之淺且易也凡薄心胸者下之當解而微喘者乃知表未解所以為桂枝也而非特下後有若証必設其下詳其病勢也

右一章舉太陽病下後病勢屬傷寒其証表裏相兼與小青龍湯証相類者以辨同異以詳桂枝加厚朴杏仁湯証之病位所在及方意也已

上三章敷衍表裏相兼混於一途之証辨異同

同異也

太陽病外証未解者不可下也下之為逆欲解外者

宜桂枝湯主之

未解云者明發汗後之証也發汗後外証桂枝湯

為法外者對內之辭內者謂胃也故云外証者對

不可下言之

右一章論治之先後以正治法以警其逆的實

前章下後太陽外証頗解有當下之証急者而

下之其非逆也

太陽病脉浮緊無汗發熱身疼痛八九日不解表証仍在此當發其汗服藥已微除其人發煩目瞑劇者必衄衄乃解所以然者陽氣重故也麻黄湯主之

此章率同於太陽中風大青龍湯証而其異者彼有惡寒煩躁此無惡寒煩躁觀太陽病勢極緩易與中風劇發之勢大殊也脉浮緊無汗發熱者不能無惡寒若惡風故曰表証仍在其不舉之者一則病勢緩易不足以為証焉一則辟太陽病勢混於中風劇發之勢而難辨也八九日非發汗之數而表証仍在者病勢緩易之候凡表証在者必發

其汗不拘於日數故曰當當讀猶當路之當也服藥已微除謂方証正相對而中其肯綮也其人發煩目瞑將發之勢謂其瞑眩也而經八九日之久陽氣凝結則不易遽發若其易者發煩目瞑汗出而解若劇者必衄而解陽氣者謂發動於表位者也重者謂凝結而不能發越也夫衄者以病勢之緩汗薄血而結與汗同類而鼻者與皮毛同位是以陽氣重難汗者必衄例同於發汗而太陽病其証猶劇而易猶急而緩結而不伏為情乃太陽病發汗麻黃湯為法以此也

右一章舉太陽病証之嫌於中風者以詳太陽病勢之緩易與中風劇發之勢異遂明其証結而不伏者麻黃湯之方意也

傷寒脉浮緊不發汗因致衄者麻黃湯主之

不發汗因致衄者結而不伏故有發動上行之勢必云不發汗者詳結之勢也又對發汗後衄者有桂枝湯証也前章因發汗衄欲解之候此章不發汗因致衄未解之候此傷寒之暴急不能候八九日所以異於太陽病勢也而傷寒以伏為情然至其易証亦有但結而不伏者故又復麻黃湯証以

論傷寒亦但陽氣重結而不伏者有麻黄湯証也陽氣重者以其薄血故也由是觀之麻黄湯証有結而無伏亦可以徵矣傷寒以伏為情太陽病以結為情故傷寒為無麻黄湯証者因病情為法也若其易証不伏者豈得無麻黄湯証乎哉故不知病情及方意者未可與言法矣

右一章舉傷寒之易証結而不伏與太陽病同歸者重詳麻黄湯之方意猶中風之變証結而發動與傷寒同歸者有小柴胡湯証也已上二章亦明異同也

君茂云此章論有表裏二途之別也不大便六七日頭痛有熱小便濁者與承氣湯其小便清者當須發汗若發汗若下後頭痛仍不愈者衄之候云云

達曰無未可二字通故舉以備後考

傷寒。不大便六七日。頭痛有熱者。未可與承氣湯。其小便清者。知不在裏。仍在表也。當須發汗。若頭痛者必衄。宜桂枝湯。

病勢劇急。犯陰陽表裏。不拘日數者。傷寒之勢是也。故其治法。亦與太陽陽明之病勢緩易者不同矣。太陽下篇云。傷寒五六日。嘔而發熱者。柴胡湯証具。若以太陽病轉入少陽之勢言之。嘔而發熱者。未得言柴胡湯証具。又陽明篇論承氣湯証曰。陽明病脉遲。雖汗出不惡寒者。其身必重。短氣腹滿而喘。有潮熱者。此外欲解。可攻裏也。攻裏云者。

以小承氣湯言之故云手足濈然而汗出者此大便已鞕也大承氣湯主之雖有潮熱未得與大承氣湯必俟手足濈然而汗出而後大承氣湯處之此俟其証全具者以陽明病勢緩易也凡太陽病陽明病治法當然而於傷寒則不猶傷寒五六日嘔而發熱者為柴胡湯証具又猶陽明篇論傷寒之治法也傷寒若吐若下後不解不大便五六日上至十餘日云云言不大便五六日脈微者但發熱讝語者大承氣湯主之若七八日至十餘日其証既已具者危篤殊甚是以雖其熱未潮讝語則

大承氣湯處之此以其病勢急劇也故以陽明之
與傷寒病勢如此異觀之傷寒不大便六七日頭
痛有熱者如宜與承氣湯然以小便清觀之仍在
表不在裏故雖傷寒所在未及於胃則未可與承
氣湯也舊本無未可二字者蓋傳寫之誤也若太
陽病勢而不太便六七日頭痛有熱者俟讝語而
後與承氣湯治法無有岐途爲有猶不俟讝語宜
與承氣湯之疑途者以傷寒之勢也當須者詳觀
察而决之之辭凢傷寒發汗大青龍湯爲法然已
經六七日則不必大青龍湯故謂詳其觀察宜隨

証發汗也。頭痛有熱者。發汗則頭痛當愈。若不愈者。衄之候也。而發汗後衄者。桂枝湯之所與。而非麻黃湯之所與。故宜者。對麻黃湯言之。

右一章。擧發汗有疑途者。以詳傷寒之治法異於太陽陽明。又對前章麻黃湯証之衄。擧桂枝湯証之衄。以詳同異。已上二章。的實桂枝麻黃二湯之別也。

傷寒。發汗解半日許。復煩。脉浮數者。可更發汗。宜桂枝湯主之。

傷寒發汗。謂與大青龍湯也。發汗解後。復煩者。嫌於內實而脈浮數者非內實之候乃桂枝湯之所宜而無所嫌於承氣湯故曰主之主者無與二之辭前章舉表未解而嫌於承氣湯者此章亦舉桂枝湯証之嫌於承氣湯証者重的實發汗之條理也

右一章舉發汗後桂枝湯証者反復桂枝湯証之所在及方意而詳之已上二章主桂枝湯論之以明異同總八章為後節舉或表裏相兼屬發汗者或傷寒有麻黃湯証之變者或表証之嫌於內實者以終發汗之論已上二節九十七

章為初段總論表証之劇易緩急及正變以明
發汗之法也

凡病若發汗若吐若下若亡津液陰陽自和者必自
愈

陰陽者統表裏內外血氣亦在其中矣凡陰陽不
和者病令之然也故有若發汗若吐若下病已解
而陰陽自和者有若發汗吐下病已解而陰陽自
和者謂汗吐下三法之外無有治法也有若發汗
吐下病已解而亡津液者亡津液者雖病已解陰
陽猶未和者假如發汗大汗出後胃中乾煩燥不

得眠或大下後復發汗小便不利或重發汗大便鞕微煩不了々之類皆其病已解亡津液之使然也凡若斯之類不須服藥必自愈夫津液者飲食為源故病愈陰陽自和飲食如故則津液無患所以自愈也

右一章舉治法之綱領以下廣叙汗吐下後之變陰陽未和者遂舉通利發達之緯方以分諸汗吐下之經方也夫神農之制方也約諸三法而統汗吐下汗吐下是為經方通利發達是為緯方而通利發達概統諸汗不更建目也然曲

引之則屬汗屬吐屬下說詳見於外傳

下之後復發汗晝日煩燥不得眠夜而安靜不嘔不渴無表証脉沈微身無大熱者乾薑附子湯主之

下之後復發汗統太陽病傷寒言之所以無冒首也以下無冒首者徴之復重也有初之辭發汗後病勢屬中風吐下後病勢屬傷寒故下後之病勢薄裏而結復發汗則其証結而發動爲所以煩躁也而煩躁猶熱類而陽勢夜而安靜乃知寒類而陰狀其陰類而有陽勢者以發汗後病勢屬中風也凡病動靜休作有時者結之侯也晝日動作而

夜安静率為之陰類夜發作而晝日安静率為之陽類凢結心胸而有發動上行之勢者屬少陽故煩躁論諸少陽裏位則其証應嘔或渇而不嘔不渇乃知非少陽裏位之煩躁又論諸太陽表位則其証應惡寒惡風或發熱身疼痛而無此等表証則非太陽表位之煩躁又論諸陽明内位則其脈應實而沈微其証應日晡所發熱或潮熱譫語而身無大熱則非陽明内位之煩躁夫既若此非表裏内位之所在乃知少陰為所在其病寒類所謂聞病之陽論得其陰者是也而身無大熱者有二

途。為其一則熱類。陽勢而伏者。其一則寒類。陰狀者。徵諸脈沈微則寒類陰狀者。非陽勢而伏者。脈沈者。陷沒之候。與陽勢鬱而沈者不同。鬱者。有力為異也。微者。結之候。晝日煩躁者。日之陽勢。令之發動也。而非病勢之自然。故必分晝夜而舉之。以的實其病寒類。而煩躁非其病勢也。猶甘草乾薑湯証。煩躁吐逆者。攻表誤逆之所致。而非病勢之自然。而非以寒為陰。凡陰陽者。象之病勢為名。遂定病位之淺深。而不關於寒熱。故太陽病。有真武湯証之寒類。少陰病。有大承氣湯証之熱類。學者勿泥其寒熱而擾其名矣。

右一章舉發汗下後陰陽未和陽類轉入陰位者。示非發汗吐下之所能和。以詳乾薑附子湯証之病位所在及方意也。而乾薑附子湯方。非發汗之方。而屬發汗。詳見于方意握機傳。

發汗後身疼痛脉沈遲者。桂枝加芍藥生薑人參湯主之。更加芍藥生薑各一兩人參三兩。

發汗後者。詳皮毛已解也。凡發汗於傷寒。則大青龍湯。於太陽病。則麻黃湯。是為發汗之法。故發汗後表仍不解者。以桂枝湯為法。身疼痛。表証也。與體痛不同若未發汗身疼痛者是為麻黃湯若大青龍湯証發汗後身疼痛者是為桂枝湯証發汗後皮毛已解則應汗出而身疼痛者無汗之變由是觀之未發汗之與發汗後其証俱無汗則皮毛解之與不解猶無辨也曰皮毛已解而表仍未解者其脉兼弱無汗之變或鼻鳴鼻者以其位同於皮毛雖不必鼻鳴其侯必在鼻不可不察而詳也而脉沈遲者結裏之侯非桂枝之應所以為加芍藥生薑人參也脉沈者陽氣欝之侯與陰類陷沒之沈不同遲者結而病勢屈之侯而脉沈嫌於前

章陰類陷沒之沈故必列諸乾姜附子湯以詳陽類而陽氣欝之勢也學者徵諸事實可以知其的實矣已

右一章擧表証之燫於陰狀者以對前章陰類之燫於陽勢者以詳桂枝加芍藥生薑人參湯証之病位所在也詳見于方意握機傳已上二章前章煩躁在陰位而結此章身疼痛在表位而結於裏前章徵所在於脈論變於証此章徵所在於証論變於脈故叙沈徵之與沈遲相近而易混者以警忽疎也

發汗復下之後。不可更行桂枝湯。汗出而喘。無大熱者。可與麻黃杏仁甘草石膏湯主之。

舊本此章作發汗後。又重出太陽下篇。而發汗後作下後。達按此証發汗復下之後之病勢也。何者汗出表仍不解者。發汗後之証。桂枝之所宜。而復下之。陽氣因伏。爲伏則非桂枝湯之方意。故曰不可更行桂枝湯。先詳其為伏証也。是以今正之。古訓合重出為一章。發汗後。作發汗復下之後。以為家傳。凡伏於表位者。熱結裏之勢。而不能成裏証是以其勢不可表發。亦不可薄裏。所以伏也。汗出而喘。夫伏以無發勢。雖汗出而無汗之例。故不發熱及惡風。所以無大熱也。所謂聞病之陰。論得其陽是也。與主之隨時之辨。謂此証有當俟後証之時。或有無與二之時也。

右一章舉有熱結裏之勢。而不能成裏証。遂伏於表位者。以對前章結於表裏而不伏者。以詳麻黄杏仁甘草石膏湯証之病位所在及方意也。詳見于方意握機傳。已上三章首章舉陰狀而無大熱者。此章舉陽勢而無大熱者。以詳陰結之與陽伏之別。亦同異之類第二章舉發汗後。結表裏而不伏者。第三章舉發汗下後有熱結裏之勢。而不能成裏証。遂伏於表位者。以詳其異。又叙首章脉沈微之陰。與第二章脉沈遲之陽易混者。分其疑途。以明示其所在也。

發汗後。燒鍼令其汗。鍼處被寒。核起而赤者。必發奔豚。氣從少腹上衝心者。灸其核上各一壯。與桂枝加桂湯主之。

發汗後。令其汗者。謂重發汗也。鍼處被寒。詳皮毛復閉而結之勢也。與太陽病下之。其氣上衝者同類。核起而赤者。皮毛復結。不能發越之候。詳病勢上行之所由来所以必發奔豚也灸其核上必止各一壯者其意在少散皮毛之結以助藥力猶太陽病服桂枝湯反煩者先刺風池風府之類為治法要妙之域也

右一章舉發汗後復皮毛闔表不得發動而上衝者以對前章發汗復下後之勢不得表發而伏者又對後章發汗後皮毛開病勢散慢而上行者以詳同異舊本此章在桂枝去芍藥加蜀漆龍骨牡蠣湯之下按蓋後人以燒鍼後之証誤叙次者故今正諸古訓叙於麻黄杏仁甘草

石膏湯之下桂枝甘草湯之上以為家傳庶幾弗畔焉乎説詳見于外傳

發汗過多其人叉手自冒心心下悸欲得按者桂枝甘草湯主之

發汗過多謂治不得其法詳其病勢散慢也心下悸有上行之勢而無衝心之勢病勢散慢而結絡之候叉手自冒心又欲得按者以其病勢散慢故也前章以皮毛鬪病勢欝而激有衝心之勢此章以皮毛開病勢散慢無衝心之勢故心下悸欲得按者與其氣上衝心者觀斯二者則皮毛開鬪欝

散之勢當知矣也詳見于方意握機傳

右一章舉發汗後病勢散慢者以詳桂枝甘草湯証之病位所在及方意也以上二章前章重發汗鍼復被寒病勢因屬傷寒此章發汗過多病勢屬中風其病勢異其証率同故今正諸古訓列二章以明同異也

發汗後其人臍下悸者欲作奔豚茯苓桂枝甘草大棗湯主之

苓桂甘棗湯方由桂枝甘草湯方来故舉發汗後者先承前章概示桂枝甘草湯証之所在也臍下

悸者。水氣在經之候。凡病。在經而不得表發者有二途。其一則結心胸者。其一則欲從小便去者。其欲從小便去者。皆趨於臍下。自然之勢也。而必悸者。以桂枝甘草湯證。有發動散慢之勢。故欲作奔豚。而竟不至於奔豚。詳見于方意握機傳

右一章舉水氣在經。欲從小便去而得發動散慢之勢者。以詳苓桂甘棗湯證之病位所在及方意也。苓桂甘棗湯。桂枝甘草湯之變方。而方意異者也。

火逆下之。因燒鍼煩躁者。桂枝甘草龍骨牡蠣湯主

之

火逆下之詳外証仍未解而結其氣當上衝之勢也而復加燒鍼以發諸外則其氣不得上衝而燒鍼後之病勢屬中風是以雖結發動而不已所以煩躁也此亦桂枝甘草湯之變方而異方意者也舊本叙諸桂枝加桂湯之下按蓋後人因火類誤叙次者而桂枝甘草湯之變方則叙桂枝甘草湯方之下庶幾弗畔焉乎

右一章擧主發動而不主上行者以對桂枝甘草湯証及苓桂甘草湯証遂明桂枝甘草龍骨

牡蠣湯証之病位所在及方意也詳見于方意

握機傳

發汗後腹脹滿者厚朴生薑甘草半夏人參湯主之

發汗後腹脹滿者猶無辨於傷寒吐後腹脹滿調胃承氣湯証者也曰傷寒之勢劇急難發而薄裏故吐後俄然結胃成燥屎而腹脹滿其勢當然發汗後病勢發動無薄裏之勢故雖腹脹滿在經兼表結心胸而不及胃又以病勢緩雖有發勢不至發熱雖結心胸不至嘔所以為脹滿也故在表裏動於陽明者是為厚朴生薑甘草半夏人參湯之

方意乃腹脹滿論諸病勢則同異之辨可黙識也
詳見于方意握機傳

右一章舉在經兼表而腹脹滿者詳與內實異以明厚朴生薑甘草半夏人參湯証之病位所在及方意也已上三章首章舉動於下無上行之勢者第二章舉有上行之勢者得發勢而不上行者第三章舉以發勢緩無上行之勢者詳因病勢其証萬變無窮也

太陽病發汗汗出不解其人仍發熱心下悸頭眩身瞤動振々欲擗地者真武湯主之

太陽病發汗。謂其法也。發汗汗出。謂其弗畔也。而其病不解。仍發熱者。非汗之所能解。應通利之候而發汗後。病勢屬中風。所以對傷寒也。心下悸頭眩。猶上行之狀。而非上行之勢。振々欲擗地者水氣在經而動搖之候。蟄在於體。與身為振々搖者不同。為身瞤動者。肉瞤筋惕之劇也。其人仍發熱其証皆因發汗。水氣動搖之候。真武湯証。寒類陷沒下行。為情。而有發動之勢者。因太陽病發汗。水氣動搖之使然也。所謂聞病之陽。論得其陰者。是也。心下悸頭眩。振々欲擗地者。嬿於苓桂朮甘湯

証而真武湯証下行為情不至於上逆以其不至於上逆觀之所在不主表位者可知矣詳見于方意握機傳

右一章舉陷沒之情因發汗激動遂嬿於上行之勢者對苓桂朮甘湯証以詳真武湯証之病位所在及方意也舊本叙諸梔子乾薑湯之下四逆湯之上達接蓋非古訓之例今正諸古訓以太陽病發汗後病勢對傷寒吐下後病勢以明同興故叙諸厚朴生薑甘草半夏人參湯之下苓桂朮甘湯之上以為家傳庶幾弗畔乎

傷寒若吐若下後心下逆滿氣上衝胸起則頭眩脈沈緊發汗則動經身為振々搖者茯苓桂枝朮甘艸湯主之

不曰發汗徃曰吐下詳傷寒之無極又論傷寒吐下後之病勢反發動也心下逆滿因上逆而滿也氣上衝胸發動而不得發越之候起則頭眩謂臥則不也亦上逆之候其証皆桂枝甘草湯之方意而兼水氣者也沈者有水氣之候與陷沒之沈不同爲緊者陽勢難發之候所以設發汗而論也而沈者非發汗之候若發之則徒動在經之水氣至

於身為振々搖身為振々搖者因發汗而激動也
故必設發汗以明其誤詳其治宜通利也而苓桂
术甘湯及苓桂甘棗湯桂枝甘草龍骨牡蠣湯方
皆由桂枝甘草湯方來故其方皆上行為主而方
意各不同為詳見于方意握機傳
右一章舉水氣之變兼發動上行之勢者以詳
苓桂术甘湯証之病位所在及方意也已上二
章前章舉水氣之變無上行之勢而動搖者後
章舉水氣之變兼發動上行之勢者以詳同異
遂的實主表位者上行不主表位者無上行之

勢也。

發汗病不解反惡寒者虛故也芍藥甘草附子湯主之。

發汗病不解者謂表已解裏若内仍不解也故不云未解若内結胃中者應但熱不惡寒而反惡寒者乃知不關於胃也虛者對實之辭實謂結於胃虛謂不關於胃古之訓也發汗病不解若轉入少陽者其證應見胸脇而動胸脇之候無一所見乃知不關於少陽也由是觀之惡寒非太陽表證及少陽裏證固非陽明證則少陰為所在者章々可

見爲所謂聞病之陽論得其陰者是也詳見于方
意握機傳

右一章擧陽位之所在轉於陰位者以詳太陽
病傷寒發汗不解者卒結心胸脇若胃中爲常
然亦有陽轉陰之條理而轉少陽若陽明之不
可必也故唯擧惡寒一証不具其証明轉位之
條理而已

發汗若下之病仍不解煩躁者茯苓四逆湯主之

發汗若下之者概其所在示之也煩躁者凡有四
途爲其一則有太陽表位爲所在而煩躁者其二

則有少陽裏位為所在而煩躁者。其三則有陽明內位為所在而煩躁者。其四則有少陰為所在而煩躁者。故曰發汗若下之詳非表証及內位之煩躁。又其証無關於心胸脇則非少陽裏位之煩躁是以知茯苓四逆湯証之煩躁。少陰為所在。兼経絡而動太陽也。而茯苓四逆湯証。在少陰而為陽勢。在少陰而為陽勢者。以陽類之轉也。故不舉諸少陰篇。必論諸太陽篇。以明陽轉陰之條理也。詳見于方意握機傳。

右一章舉發汗若下後。陽勢轉陰位者。詳轉位

之條理以上二章舉陽勢轉化之變以明其條理故畧其方意託諸本方詳畧之義也是以前章但舉附子証惡寒後章但舉茯苓証煩躁以示其意也

發汗後惡寒者虚故也不惡寒但熱者實也當和胃氣與調胃承氣湯

太陽病及傷寒發汗不解者若結心胸脇若結胃中是為陽類轉位之常數而發汗後惡寒者陽類轉位之變也故先舉變以詳其常也虚者對實之辭非斥陰之辭和云與云詳病勢之餘波俄然而

結。非更攻之意也。

右一章舉轉屬陽明者。以詳太陽病及傷寒。發汗後。轉位之常數。以為前節結法。王函經合。諸芍藥甘草附子湯章。為一章。不可從爲分之。為二章者。其訓多爲其一則結上起下。上應芍藥甘草附子湯。以詳虛實及正變。下起和胃氣之法。以論和胃氣之道不一也。其二則列芍藥甘草附子湯証及茯苓四逆湯証。皆陽勢轉陰位者。上應乾薑附子湯証以論太陽病及傷寒之轉。亦不必止於陽位也。而芍藥甘草附子湯及茯苓四逆湯。不列諸乾薑附子湯者。遂欲詳陽勢之嬈於陰狀者。故列桂枝加芍藥生薑人參湯證。及麻黄杏仁甘草石膏湯證。陽勢之嬈於陰狀者。以辨皆陰陽之狀勢自異爲。次列桂枝加桂湯論發汗後病勢反屬傷寒者。對前章伏者。以明有傷寒之勢亦但結而不伏者。次列桂枝甘草湯證。發汗後病勢屬中風者。示同異。遂叙苓桂甘棗湯證。及桂枝甘草龍骨牡蠣湯證。敷衍桂枝甘草湯之類證。次列厚朴生薑甘草半夏人參湯證。結而無上行之勢者。詳病勢緩易者。雖陽勢不上行。次列真武湯証。水氣動搖而不上行者。及苓桂朮甘湯証。上逆。而水氣動搖者。示同異。又苓桂朮甘湯遂應苓桂甘棗湯証。論其所在大同小異。次列芍藥甘草附子湯証。及茯苓四逆湯証。發動而無上行之勢者。詳雖在陰。陽勢之轉。仍有發動之勢。故列諸太陽篇。以盡變化也。又應厚朴生薑甘草半夏人參湯証。陽類而無上行之勢者。詳雖無上行之勢陰陽之狀勢自異也。次列調胃承氣湯証。明陽勢轉位之常數。以為前節結法。此皆欲使學者別皆陰陽之狀勢及其常變與疑似於變化無窮之中以徹其已也以上三章但辨陰陽之條理為主故概其所在畧其証其如方意託諸本方而全之作者詳畧之意豈可忽焉乎哉

太陽病若吐若下若發汗微煩小便數大便因鞕者與小承氣湯和之愈

不必並行吐下發汗故云若凡結胃中之証吐下後最多故云吐下發汗不云發汗吐下也吐下發汗及小便數謂亡津液之狀也故微煩小便數大便因鞕者詳亡津液病勢之餘波苟結也故云與

和之。示以其苟結非更攻之也。

右一章舉吐下發汗後有小承氣湯証者。附諸調胃承氣湯証。詳陽勢之極。及陽明為常也。以上十有五章。是為前節。舊本此章載在陽明篇。按冒云太陽病。則無載於陽明篇之義。故今正諸古訓。附於調胃承氣湯。以為家傳。凡太陽病轉及陽明者。率調胃承氣湯証。而不至於大小承氣湯証為法。然若吐後若下後若發汗後亡津液。而病勢之餘波苟結者。小承氣湯之方意。而非調胃承氣湯之方意。此其方意雖異。轉而

苟結者與調胃承氣湯証歸同故太陽病轉及
陽明者或有為小承氣湯証者是以必附諸調
胃承氣湯盡轉而苟結之變也

太陽病發汗後大汗出胃中乾煩燥不得眠欲得飲
水者少少與飲之令胃氣和則愈若脉浮小便不利
微熱消渴者與五苓散主之

胃中乾煩燥不得眠者病已解亡津液之所致也
故欲得飲水者少少與飲之令胃氣和則愈也若
脉浮小便不利微熱消渴者未欲解也煩燥不得
眠結心胸乾燥及胃之候與亡津液其証則同而

其候則不同爲所以論同異也其候欲得飲水者胃中乾之候與渴其歸同爲脈浮發揚之候小便不利欝於絰而不能發越之候微微少也其熱結而爲發動之勢微也病勢老之候飲而不盈腹謂之消渴凢渴者發越而結心胸乾燥及胃之候由是觀之五苓散証發越而結劇者結而欝夫五苓散証之渴欲水之不絶於口所謂煩渴也煩渴之極爲消渴與白虎湯証燥渴不同爲所謂燥渴者口乾舌燥得大飲水釋然乾燥已少間爲又乾燥乾燥則渴故白虎湯証無嫌於五苓散証唯猪苓

湯証嬿於五苓散証者也。而五苓散証則主上行。故病渴不病小便不利。猪苓湯証則主下行。故病小便不利不病渴。此其所以異也。於是知猪苓湯証欝而結。結而致渴。所在兼少陰。與主之。隨時之辨。

右一章舉發越而結心胸者。對前節結章亡津液病勢之餘波苟結者。論病已解而亡津液者。及病仍不解而嬿於亡津液者。示同異以詳五苓散証之病位所在及方意也。

發汗已脉浮數煩渇者。五苓散主之。

發汗已。已者。詳皮毛已解。病勢發越也。脈浮數。發於表位之候。煩渴。蕟越而結心胸。乾燥及胃之候。凡煩渴者。欲水之不絶於口也。前章脈但曰浮。此章曰浮數。前章舉小便不利。此章不舉小便不利。詳病勢尚少。雖結。不至於致欝也。故五苓散証之致欝者。結之極。而病勢老者也。前章舉微熱。此章不舉熱。所以然者。雖小便不利。不足以為病。雖渴煩而不至於消。雖有熱。不至於徵。比諸前章。易而輕。此皆以病勢少發。勢仍多結。不如前章。故必舉脈數。以詳病勢少也。

右一章重明五苓散之方意也。已上二章。前章病勢老而劇。後章少而易。以詳同異也。

傷寒。汗出而渴者。五苓散主之。不渴者。茯苓甘艸湯主之。

不經發汗。汗出而渴者。表自發越而結心胸。乾燥及胃之候。故雖汗出。無惡風。此不經太陽。徑結心胸。而乾燥及胃者。傷寒之暴急。薄裏之勢可知矣。太陽病。發汗後消渴。其証劇。傷寒。汗出而渴。其証反易者。以傷寒之勢急。其結反易。以太陽病勢緩。其結反劇。此病証之由病勢而輕重不同者如此。

不渴者茯苓甘草湯主之不渴者不結心胸之候其不結心胸以發勢專也因是觀之茯苓甘草湯証應有脈浮發熱汗出或無汗心下悸等之証其與五苓散証異者但渴之與不渴也故兼論二方各畧其証但舉其異以相示其証及其所在大同小異也而渴之與不渴在結心胸與否則五苓散証結心胸為情茯苓甘草湯証不結心胸為情結心胸者發勢鮮不結心胸者發勢多故五苓散証之所在裏多表少茯苓甘草湯証之所在表多裏少若其方意五苓散知心胸之結而鈍於表發茯

苓甘草湯知表發而不知心胸之結此其所以異也詳見于方意握機傳又曰傷寒汗出而渴者大陽病發汗後大汗出消渴者及發汗已煩渴者皆發越而結心胸之候其歸同但其病勢異而已故傷寒不對諸中風對諸太陽病發汗後之勢論病勢夫若此異以下中風水逆之變不由於主客之例附而論之以敷衍五苓散証也

右一章舉傷寒之暴急與太陽病勢所以異遂詳五苓散証及茯苓甘草湯証之病位所在及古意也已上三章始二章舉五苓散証之轉化

異同。以詳方意。後一章舉五苓散証。發越而結之條理。以詳病勢。總明五苓散証之病位所在及方意也。首章病勢老而欝欝而結之劇者也。第二章病勢少而結之易者。不至於欝也。終章病勢急而結之易者。亦不至於欝。此其病勢三等之叙也。

中風。發熱六七日不解而煩。有表裏証。渴欲飲水。水入則吐者。名曰水逆。五苓散主之。

中風之勢。劇發為情。結非其情。故雖結。有劇發之勢者。是為中風之變。發熱六七日不解而煩者。結而發動之候。發熱若惡寒。若惡風。是為表証。渴欲飲水者。病勢發越而結心胸。乾燥及胃之候。是為裏証。水入則吐者。結而發勢劇之候。中風之勢。於是乎可見矣。而不舉惡寒若惡風者。其証微不足以言爲故。概曰有表裏証。以詳五苓散証之所在及方意也。

右一章不由於中風傷寒主客之例。附而論其變。以敷衍五苓散証也。或問曰。稱中風必繫之以太陽。單稱中風者。論中無有。爲但傷寒中風並舉。則不繫之太陽。何者以傷寒五六日之勢。

小柴胡湯証。而有發動中風之勢者也。而五苓散水逆之証。有表裏証。猶宜繫太陽。而不繫之太陽者何也。曰稱太陽中風者。太陽表位為所在也。五苓散水逆証。雖有表裏証。裏為所在。兼表。豈得稱太陽乎。夫中風者。太陽中風之勢為正。五苓散水逆証中風之變。是以不由於中風傷寒主客之例。附而論之。敷衍五苓散証。所以不稱太陽也。

發汗吐下後。虛煩不得眠。若劇者。必反覆顛倒。心中懊憹。梔子豉湯主之。若少氣者。梔子甘草豉湯主之。

若嘔者。梔子生薑豉湯主之。

梔子豉湯方。非吐方而屬吐爲。猶小柴胡湯方。非發汗之方而屬汗也。曰發汗吐下後。先詳結勢也。無冒首者。統太陽陽明及傷寒也。煩而心中懊憹者。嫌於內實。故曰虛煩。以分諸內實也。按之心下濡者爲虛煩。又分諸大陷胸湯證。心中懊憹而心下鞕者也。虛實者。主胃言之。古之訓也。不得眠者。結心胸而乾燥之候。反覆顛倒。心中懊憹。結之動也。詳見于方意握機傳。凡病有定證。所以有一定之方在也。而病勢轉化無極。則證應主客不同爲。

所以有論也。請嘗試舉其一。假如有心中懊憹為主者。有為客者。曰虛煩不得眠。心中懊憹者。梔子豉湯主之。心中懊憹而煩。有燥屎者。大承氣湯主之。短氣躁煩。心中懊憹。心下鞕。則大陷胸湯主之。由是觀之。梔子豉湯之煩。心中懊憹為主。而不得眠。或饑而不能食者。結於心中之應。而客証也。大承氣湯之煩。燥屎為主。心中懊憹者。燥屎之應。而客証也。大陷胸湯之煩。心下鞕為主。短氣躁。心中懊憹者。結胸之應。而客証也。此其心中懊憹。則同而應証主客不同。故必觀其脈証。而徵諸病位。論得其所在。所謂鼎足法也。若者本應無而時有之之辭。其証不可以本方治。故更設方也。少氣者謂不得息。短氣之窮也。梔子甘草豉湯証。而更加自外薄裏之勢。是以其氣衝逆不得息也。嘔者。在外而動裏之候。故梔子生薑豉湯証。梔子豉湯証而兼外也。而梔子豉湯非吐方。而屬於吐者。中病則或得吐而解。猶柴胡湯非發汗之方而屬於汗者。服柴胡湯而汗出也。而世或以梔子豉湯為吐方。若果為吐方。則豈得有梔子生薑豉湯方乎哉。顧之第弗深考者也。梔子甘草豉湯梔子

生薑豉湯皆梔子豉湯之變方而別成一方也詳見于方意握機傳

右一章舉發汗吐下後仍在經而結心胸終不關於胃中者以詳梔子豉湯証之病位所在及方意遂舉梔子豉湯証而更自外薄裏者及在外動裏者以詳其變也

發汗若下之而煩熱胸中窒者梔子豉湯主之

發汗若下之云者概在經而結心胸之勢言之不舉吐者示結之易也煩熱胸中窒而不及於胃乃知在經也窒猶否也充於穴中之謂窒窒而不發

動故不至於懊憹由是觀之煩熱胸中窒者比諸
心中懊憹病勢緩易之候
右一章舉梔子豉湯証結之易者以示異同也
已上二章前章病勢劇急後章病勢緩易以詳
証之轉化由病勢也
傷寒五六日太下之後身熱不去心中結痛者未欲
解也梔子豉湯主之
傷寒五六日通利發達之常數而大下之以詳傷
寒暴急之勢又論経為所在而結心胸之勢也身
熱在経之候故無惡寒及惡風所以結心中也痛

者。有發勢之候。心中結痛而心下不鞕。則無爍於結胸。乃梔子豉湯証。經為所在胃中虛而結心胸者。又益明矣。

右一章舉梔子豉湯証之急者。以反復其所在而詳之也。已上三章。叙劇易緩急之勢。以詳與

同也。

傷寒下後。心煩腹滿。臥起不安者。梔子厚朴湯主之。

傷寒概薄裏而結之勢也。傷寒下後。病勢及發動心煩結而發之候。腹滿薄裏而發之候。臥起不安者。形容心煩腹滿之狀勢也。凡承氣湯証之腹滿

者無心煩且雖腹滿卧起不安無譫語而無潮熱無所嫌於小承氣湯証詳見于方意握機傳

右一章舉梔子豉湯之類証下後在經而結心胸者以詳梔子厚朴湯証之病位所在及方意也

傷寒醫以丸藥大下之身熱不去微煩者梔子乾薑湯主之

身熱経未解之候與發熱及惡熱不同爲微煩分諸熱類之煩也必曰醫者咎之之辭雖下之之非誤咎酙酌之不中矩也詳見于方意握機傳

右一章亦舉梔子豉湯之類証而兼寒類者以詳梔子乾薑湯証之病位所在及方意也已上二章詳結心胸而勢及於腹者與結心胸而兼寒類者之別博敷衍梔子証以詳傷寒之勢寒熱相混而無極也

傷寒醫下之續得下利清穀不止身疼痛者急當救裏後身疼痛清便自調者急當救表救裏宜四逆湯救表宜桂枝湯

下之續得下利清穀不止者治不得其矩然非誤逆也故不曰反咎之曰醫完穀色不變之謂清穀

屬寒。穀糜色變而不化之謂穀不化屬熱清便謂
清穀也。宜者。權時之辭身疼痛太陽表証也。與身
體痛不同。爲凡繫於體者。為少陰裏位不可不辨
而詳矣。而四逆湯証。或有身體痛者。故身疼痛有
嫌於身體痛。然與四逆湯後清便自調。但身疼痛
者。太陽表証。無嫌於身體痛也。故亦曰宜桂枝湯
而治法凡二道。爲一曰法。二曰權。凡表裏併病者。
先治表而後裏法也。若陰陽併病者。先治其陰而
後其陽。亦法也。凡陰陽併病者。率以陰証急。先治
其陰為法。不問陰陽表裏。先治其急者。而後其緩

者此謂權也下利清穀身疼痛者太陽少陰併病者也故先治清穀而後身疼痛清穀為少陰身疼痛為太陽又清穀急而身疼痛緩於是其所先後為各得權故皆曰宜四逆湯當作通脈四逆湯凡下利清穀或至於脈微者皆通脈為當脈沈或弱而兼發狀者是為四逆湯証故四逆湯証雖下利不至於清穀詳見于方意握機傳

右一章舉陰陽表裏併病者以詳治法有先後遂相對四逆湯桂枝湯以相發明其病位所在及方意也

病發熱頭痛脈反沈若不差身體疼痛當救其裏宜四逆湯

頭痛病勢綫之候非傷寒之勢發熱頭痛雖似於太陽病勢脈沈病勢陷沒之候非太陽病勢而頭痛非少陰病位故但曰病然以証候動於太陽論諸太陽篇也若是為太陽表証則脈應浮而反沈故云若不差論而詳之也身為表位體為裏位故身疼痛為表証身體疼痛為裏証古之訓也而論得身體疼痛於是知頭痛屬體痛非太陽表候頭痛已屬體痛則其証發熱體痛脈沈者乃知少陰

為所在四逆湯証也宜者權時之辭對桂枝湯言之差與愈不同爲差謂服藥微除也愈謂病悉解也

右一章對前章桂枝湯証身疼痛者以詳病勢陷沒兼發狀者四逆湯之方意也亦同異之類又論通脈四逆湯及四逆湯之方意各異明多少分量之不可忽也

太陽病三日發汗不解蒸々發熱者屬胃也調胃承氣湯主之

三日發汗謂與麻黃湯表已解而不解者謂轉於

内位也蒸々發熱者内實之候而未至於潮熱經欲解而未解之候故曰屬胃然所在己轉則莫所嫌疑爲故曰調胃承氣湯主之

右一章舉陽類屬胃者詳調胃承氣湯証太陽病勢轉入陽明之極遂明大承氣湯証非太陽病勢之所與也而傷寒之勢則非此例爲舊本此章載在陽明篇然太陽病爲胃首則無載於陽明篇之義故今正古訓叙諸太陽篇以爲家傳也

太陽病未解陰陽脈俱停必先振慄汗出而解但陽

脉微者。先汗出而解。但陰脉微者。下之而解。若欲下之。宜調胃承氣湯主之。

此章徵其所在脉。故先設外候之脉。論其内實。凡其所在。難以証決者。徵諸脉。古之訓也。停猶渟也。止也。脉陰陽俱停者。若卒倒。若卒腹痛。必不無其應。而今無其應。乃知不須服藥。將自發越也。凡物至則反。故體將僵者。先亟舞為形。將伸者。先强屈為。此其勢之自然者也。故其將自發越者。先屈而畜其勢。脉之所以為停也。陽脉陰脉。非古言。脉字當刪去。夫脉者。一道而非有二道。但因病勢候有及於陰陽。陰陽。謂脈道之表裏也。非有二道。故知陽脈陰脈。非古言也。但陽微者。亦將自發越之候微。猶停也。但陰微者。有燥屎之候。非自發越者。當下之候也。而無譫語。無潮熱。則病勢非大承氣湯證。故曰宜調胃承氣湯主之。宜者。權時之辭。主者。無與二之辭。脈微。於陽明證。則為燥屎之候。於太陽證。則嫌於陰結。然但陰微。而非陽微。乃知內實也。故先舉脈陰陽俱停者。及但陽微者。而論之。詳但陰微者。當下也。燥屎。調胃承氣湯證之極。而非其常矣。小承氣湯知腹滿。而不知燥屎。調胃承氣湯証之極爲燥屎終不知腹滿也。傷寒吐後。腹脹滿者。腹脹有燥屎之候。雖滿不與也。

右一章。擧太陽病轉位之常數。以爲後節之結。調胃承氣湯証之爲燥屎者。徴諸脈。以詳方意。二章列病勢之少與老。以明異同。已上十有三章。是爲後節前後。凡二十有八章。合爲一段。總擧發汗吐下後轉位變化之不可窮極。亦治法轉化之不可端倪。欲使學者掌握方意於轉化變動之間也。

傷寒五六日。中風。往来寒熱。胸脇苦滿。默々不欲飲

食心煩喜嘔或胸中煩而不嘔或渴或腹中痛或脇下痞鞕或心下悸小便不利或不渴身有微熱或咳者與小柴胡湯主之

傷寒五六日之勢小柴胡湯証而有中風之勢故不曰傷寒中風五六日曰傷寒五六日中風夫日數者論病位之淺深及病勢之劇易緩急以詳証之轉化也故於中風則不舉日數傷寒之勢多紀之日數謂傷寒之變不可窮極也而傷寒伏結為情中風劇發為情故中風傷寒同其所在各異其証此其勢之自然為者也小柴胡湯証經為所在

兼表胸脇為病位半相動於表裏其証雖結仍發為情所以有中風之勢也故於傷寒則平易為者而於中風則深重為者夫平易為者與深重為者同其証則中風傷寒之勢自異者可知為先舉往来寒熱詳雖結發勢仍劇也傷寒五六日柴胡湯証之勢是也又曰胸脇苦満默々不欲飲食心煩喜嘔者結仍少發動之候若至脇下鞕満乾嘔不能食者以結成故鮮發動之勢由是觀之往来寒熱胸脇苦満默々不欲飲食心煩喜嘔者主發動而不主結所以稱中風也或以下皆小柴胡湯証

中之結証或薄裏之勢而中風無有之傷寒而有之之証故分而叙之以詳中風之病勢也或者本應有而時無之之辯故其証皆以本方治之也與若不同胸中煩而不嘔結而陽勢微之候渴結心胸乾燥及胃之候腹中痛薄裏而結結而有發勢之候脇下痞鞕結成不發動之候欬亦結心胸而有發勢之候與者候後証之辯對傷寒言之主者無與二之辯對中風言之亦詳中風傷寒發動伏結之勢夫若斯異也

右一章舉小柴胡湯証中主發動者論中風有

小柴胡湯証。遂明小柴胡湯証之病位及所在。又分舉小柴胡湯証中。主結者。及薄裏者。詳傷寒之勢。論其証雖或有同於中風者。病勢自異也。詳見于方意握機傳。

傷寒四五日。身熱惡風頸項強脇下滿手足温而渇者。小柴胡湯主之。

病勢急劇。將發而難發。因薄裏而結。而或伏者。是為傷寒之勢。四五日。謂其期近於發汗也。身熱為裏証。惡風頸項強。皆太陽証。而類於葛根湯証者也。但頸屬裏位。非表位。為而不胸滿者。以結於表位陽氣仍在也惡風項强是其候然既結於脇下則少陽為所在者確如也身熱頚强結於裏惡風項强動於表半相動於表裏之候渇結心胸而乾燥及胃之候必云手足温者分白虎湯証有厥也夫小柴胡湯証而渇者嘔之變結之劇也故小柴胡湯証為中風之勢者必嘔而不渇但傷寒之勢而有渇在則渇之為結証可默而識焉是以凡渇者不嘔嘔者不渇此其常也但少陰病猪苓湯証有嘔渇者渇之變其嘔由咽中乾燥来者也或問曰此章以表証仍在觀之猶中風之勢而謂之傷

寒者何也。曰。雖有表証在。悉結証而發勢極微所以然者。傷寒之劇。急於薄裏。故表証尚未解徑入脇下。結於少陽裏位。則表証亦為之結。爲猶抵當湯証。表証仍在而不解也。由是觀之。傷寒之勢而非中風之勢者。豈不憒々爾乎

右一章舉小柴胡湯証。病勢劇急於薄裏者。論傷寒之勢。又對前章中風傷寒。其証候同者。明中風傷寒之勢。其別非同日之論也。已上二章舉發結之勢異。以詳異同。遂反復小柴胡湯証之病位所在及方意而示之也。

傷寒陽脈澁陰脈弦法當腹中急痛者先與小建中湯不差者與小柴胡湯主之

病勢暴急將發而難發薄裏或結或伏是爲傷寒陽脈陰脈非古言當作陽澁而陰弦陽澁者難運於表薄裏而結之候陰弦者結而發勢劇之候故陽澁而陰弦者斯知腹中急痛雖若不腹中急痛腹中急痛之例故曰法當而腹中急痛者有二途爲故曰先與曰不差者非其言彷彿爲使之知腹中急痛者必有二途也小建中湯証之時痛小柴胡湯証之往来痛其候相近爲者也時痛者拘攣

也。往来痛者。熱痛也。故熱来則痛。熱往則已。又徵諸腹狀而辨之。腹狀如堅實。而按之則撓其痛也。必欲按之。是為拘攣之候。腹狀自臍傍連胸脇。猶循棒狀。按之不撓其痛也。不欲近手。是為熱痛之候。與者候後証之辭。主者無與二之辭。與主之者隨時之辭。

右一章。舉傷寒之暴急。其証有岐途者。論同異所謂病應見于太表者。凡皆此類也。學者若能奉古訓。索諸傷寒論。則同異異同。較然而著。而病之所在。猶示諸掌乎。

傷寒二三日心中悸而煩者小建中湯主之

傷寒之劇急於薄裏故二三日仍發汗之數而心中悸而煩病勢薄裏而結之候則不在於發汗之數所以為傷寒也而腹中急痛者結之劇也心中悸而煩者結之易也小柴胡湯証亦有心下悸而煩者而小柴胡湯証悸在心下悸在心下者率小便不利為當小建中湯証悸在心中悸在心中者結仍少而發動之候觀諸病位則小建中湯証淺小柴胡湯証深論之病勢則小建中湯証少小柴胡湯証老故舉其日數以辨其淺深遂詳病勢之

老少同異異同也。

右一章舉日數。論傷寒暴急之勢。遂對小柴胡湯証。的實其所在淺。於小柴胡湯証。又其病勢少於小柴胡湯証。以論小建中湯証之病位所在及方意也。詳見千方意握機傳己上二章。兼同異異同詳之。總四章合為一聯。因小柴胡湯証。以論小建中湯証之所在。亦因小建中湯証。以敷衍小柴胡湯証也。

太陽病。過經十餘日。反二三下之。後四五日。柴胡証仍在者。先與小柴胡湯。嘔不止。心下急。鬱々微煩者。

為未解也與大柴胡湯下之則愈

太陽病謂初發於表而病勢緩易也故過經十餘日仍有柴胡証而柴胡湯証於傷寒則下之不為逆於太陽病則下之為逆故曰反何者傷寒之勢以其暴急有當下之証則雖有外証先下之以俟後証權也太陽病其勢緩易故雖有當下之証先解其外而後下之法也斯法也斯權也謂病勢緩急之不同也故太陽病勢急者其治從權雖傷寒病勢緩易者其治從法此其於治不拘於太陽傷寒之名能知緩急之勢為要故名者所謂魚兔之

筌蹄而執者、失之。亦不可不知矣。過經十餘日反
二三下之後四五日云詳病勢綫易也。往来寒熱
胸脇滿而嘔者。半相動於表裏之侯是為柴胡証。
在經而少陽為病位。故大小柴胡湯証率相類而
大柴胡湯証熱結入裏深於小柴胡湯証一等故
小柴胡湯証。胸脇脇下為病位。大柴胡湯証胸脇
心下為病位。故曰柴胡証仍在者。先與小柴胡湯
論大小柴胡湯証之病位所在及方意而詳之也
與者。候後証之辨柴胡証。謂往来寒熱胸脇滿而
嘔也。故先與小柴胡湯以解其外。乃知往来寒熱

胸脇滿而嘔者屬外屬外者小柴胡湯証之病位所在及方意也已與小柴胡湯嘔不止加之心下急鬱々微煩者乃見熱結入裏之一等深於是大柴胡湯証之病位所在深於小柴胡湯証一等者可實而驗矣故雖有胸脇滿已薄心下則是為大柴胡湯証此大小柴胡湯之辨也然有胸脇滿者先與小柴胡湯以解其外法也詳見于方意握機傳不曰主之曰與下之則愈謂其易解也不必須後証之辨

右一章因小柴胡湯証之所在而繹之以詳大

柴胡湯証之病位所在及方意也

傷寒十三日不解胸脇滿而嘔日晡所發潮熱已而微利此本柴胡証下之而不得利今反利者知醫以丸藥下之非其治也潮熱者實也先宜小柴胡湯以解外後以柴胡加芒硝湯主之

傷寒以六七日為初期故十三日為再期古之訓也潮熱結胃之候胸脇滿而嘔者應往来寒熱反發潮熱者以下之力誘結於胃也故曰實也亦古之訓也潮熱者大便當鞕而今反利者非其應爲乃知誤下之使然丸者緩也丸藥者非攻急之法

柴胡証而下之者。有當下之証急者也。柴胡証半相動於表裏。仍有發勢。而以丸藥下之。丸藥之力已緩。則不能克其有發勢。所以不得利也。今微利者。以本柴胡証有發勢。不屈於丸藥之力。緩雖則緩。不無下之力。是以有發勢者。漸誘而結胃已結則發勢衰。發勢已衰。則丸藥之力專。所以微利也。已得利。則病當愈。而方不得其法。則病仍不解也。所謂聞病之陽論得其陰。聞病之陰論得其陽。謂此道也。故傳以古訓。比諸藥曰。三十日當知物矣。豈虛言乎哉。若微古訓之藥。爲得讀傷寒論而能知其所在乎宜者權時之辭已發潮熱而小柴胡湯先解其外斯得其權故曰宜凡先解外者俟其結成也胸脇滿而嘔者半相動於表裏之候對之內則為外虛也潮熱為內實也而大柴胡湯証經為所在心下為病位熱結入裏深於小柴胡湯証一等今又結及胃中發潮熱深於大柴湯湯証一等所以加芒硝也詳見于方意握機傳

右一章舉大柴胡湯証之病位所在而結及胃中者以詳與調胃承氣湯証異也以上二章以辨大小柴胡湯証大同小異遂明柴胡加芒硝

湯之病位所在及方意也

太陽病過經十餘日心下温々欲吐而胸中痛大便反溏腹微滿鬱々微煩先此時自極吐下者與調胃承氣湯若不爾者不可與但欲嘔胸中痛微溏者非柴胡証以嘔故知極吐下也

舊本叙此章於抵當湯之前盖後人見桃核承氣湯証之前叙調胃承氣湯証誤倣其例者歟夫桃核承氣湯方由調胃承氣湯方来此其所以列叙爲其義明矣而抵當湯調胃承氣湯不類爲其証固不相關於嫌疑則不知有何義故今正諸古訓

叙於柴胡加芒硝湯之下。調胃承氣湯之上。詳同異異同。以為家傳。庶幾弗畔乎哉。欲吐當作欲嘔蓋傳寫之誤也。太陽病謂初於表位而病勢緩易與大柴胡湯証。嘔不止。心下急。欝々微煩者相類爲是以欲對諸大柴胡湯証。詳其所在之異而柴胡加芒硝湯証間之。故云太陽病過經十餘日為同句法。以明欲對於大柴胡湯之意。亦同異之類也。自極吐下者。謂不須服藥而吐下。病勢自發越之候。而太陽病經數日。不以汗發越。以吐下發越者。表裏已解之候。而病仍不解。故知結胃也。大便溏者成燥屎之候欲嘔而胸中痛者若在經則大便當無變故大便溏云反也腹微滿非成燥屎之候然大便溏成燥屎之候已見則不拘腹微滿也若不爾者不可與不自極吐下者經未解經未解為此諸証者恐有若小承氣湯若大柴胡湯証也但欲嘔者猶云但欲嘔而不嘔也又以不關於胸脇心下及無往来寒熱必曰但也凡嘔者結胸脇心下為常然先此時自極吐下者表裏己解之候則其証不關於胸脇心下且無往来寒熱乃知非柴胡証也故以自極吐下與不詳其病勢以的實

結胃與不也。與之。以須後証者須其若心下有變也。以嘔故以下七字。蓋後人之攙入。今删以為家傳也。

右一章舉所在己入府。不由於經者。以詳調胃承氣湯証之病位所在及方意。又對前章。以明同異。而大柴胡湯証。雖病勢及胃所在。尚由於經。至於調胃承氣湯証。所在己入府。不由於經。此其所以異也。

傷寒。十三日不解。讝語者。以有熱也。當以湯下之。若小便利者。大便當鞕。而反下利。脈調和者。知醫以丸

藥下之非其治也若自下利者脈當微厥今反和者此為内實也調胃承氣湯主之

傷寒十三日不解謂經再期而不解也譫語熱及於胃之候而熱不見故云以有熱也當與調胃承氣湯若小便利以下正其病應明犯為壞証者觀脈証而論之之道也凡小便利者外已解結胃之候大便鞕為當大便鞕者譫語亦其應也故譫語小便利而反下利者所謂壞証是也脈微厥當作脈微而厥蓋傳寫之誤也自下利謂不須服藥而下利也若傷寒十三日不解而自下利者脈微而

厥為當。而其証則譫語。小便利。其脈則調和。下利非其應爲。乃知醫以丸藥下之。非其治也。若其初以湯下之則宜無此禍爲。過經二字衍。蓋摸寫之誤。

右一章擧觀其脈証。論而知犯逆之法。以對柴胡加芒硝湯証。觀其証知犯逆者。以示其証之確實者。不須脈其証之岐而嫌者。徵諸脈也。以上二章。以詳與同又對柴胡加芒硝湯以辨同類異途者。故爲同句法。云傷寒十三日不解以明相對之意也。以上四章。各詳其病位所在以

論同異異同總八章為前節亦明少陽轉位之極止於調胃承氣湯証也

太陽病不解熱結膀胱其人如狂血自下下者愈其外不解者尚未可攻當先解外外解已但少腹急結者乃可攻之宜桃核承氣湯

太陽病謂主表証而病勢綏易也表已解及裏故不云未解云不解也膀胱其位在内故必云結膀胱者分諸結胃也而桃核承氣湯方由調胃承氣湯方来調胃承氣湯証結胃其極為燥屎桃核承氣湯証結膀胱俄然為血証故桃核承氣湯証調

胃承氣湯証熱結内同而病位不同則其証亦異爲其人如狂是為血動之候然桃核承氣湯証之狂因熱結其血儆然而動與畜血不同爲故熱結而動血者法當血自下血自下者熱結而血未結不須藥力諸証當自愈若自不下但少腹急結者血亦結爲須藥力而後當解桃核承氣湯之所宜也其外不解者尚未可攻論桃核承氣湯証主熱結而不主血証也若主畜血其人已發狂則不拘表証仍在斷然抵當湯主之所以異也外者對内之辭對膀胱及攻之而不必内實爲但者無它事

之辯謂無外証及血不下也宜者權時之辯對抵當湯言之又詳急結之易混於拘急也由是觀之非特結少腹血因熱俄然而結者桃核承氣湯之方意也詳見于方意握機傳

右一章舉熱結膀胱血因結者以詳桃核承氣湯証之病位所在及方意也

傷寒八九日下之胸滿煩驚小便不利讝語一身盡重不可轉側者柴胡加龍骨牡蠣湯主之

傷寒八九日在再期按傷寒六七日以雖有柴胡証在而有内實之勢先以宅藥下之至八九日柴

胡証仍在者如此猶傷寒五六日嘔而發熱者柴胡湯証具而以它藥下之之例也胸滿煩驚其所在表裏未可知爲聞小便不利乃知在經結心胸陽氣重之所致也譫語胃中燥之候然小便不利則非内實之候亦陽氣重之所致也一身盡重不可轉側者欝結於經不發動之候是以外無寒熱亦陽氣重故也蓋熱欝結薄於血者不問表裏皆能爲陽氣重與伏証不同故胸滿煩驚小便不利譫語一身盡重者皆熱欝結薄於血之所致與挑核承氣湯証相類而但欝發之勢異者也蓋柴胡

湯証鬱而結以其鬱遂薄及於血所以加龍骨牡蠣也舊本傳来之方蓋非禁方之古故於小柴胡湯方更加龍骨牡蠣各三両以為家傳詳見于方意握機傳

右一章舉煩驚屬血証與桃核承氣湯証相類者以詳柴胡加龍骨牡蠣湯証之病位所在及方意也

傷寒脉浮醫以火迫劫之亡陽必驚狂起卧不安者桂枝去芍藥加蜀漆龍骨牡蠣湯主之

傷寒詳其勢暴劇也脉浮發揚之候詳在表位也

凡病結於少陰而病勢陷沒者以火發之若伏於表位而病勢緩者以水發之皆古之法也故病在表位自發動者非火之所司爲故必曰醫咎之也迫劫謂其逆也亡陽謂亡發勢也表証薄裏之候必設火逆而論之者詳驚狂之所以然也驚者結薄於血之候狂者驚之劇也故驚狂皆屬血証也由是觀之狂類於桃核承氣湯証而與抵當湯証異途爲故以上二章附諸桃核承氣湯而論之也起卧不安形容病勢急也詳見于方意握機傳

右一章舉桃核承氣湯及柴胡加龍骨牡蠣湯

之類証。以詳桂枝去芍藥加蜀漆龍骨牡蠣湯証之病位所在及方意也。以上三章總舉血証之屬類。以辨與畜血之病勢自殊也。

太陽病六七日。表証仍在。脉微而沈。反不結胸。其人發狂者。以熱在下焦。少腹當鞕滿。小便自利者。下血乃愈。所以然者。以太陽隨經。瘀熱在裏也。抵當湯主之。

太陽病謂先動於表位。而病勢緩易也。六七日。熱結胃之常數。而未及於胃。表証仍在者。以病勢緩易也。而對諸胃論之。當云外証。而云表証者。表者對裏之辭明對裏證畜血而論也桃核承氣湯證云其外不解而不云其表者明主熱結論之也脈微而沈必云而者分陰陽之辭猶云陽微而陰沈也與脈沈微者不同爲微者結之候沈者陽氣所掩之候無發越之勢也故太陽病六七日脈微而沈者以其常數論之當結胸之候而不結胸故曰反又表證仍在脈微而沈者脈證不相應脈爲證之源則雖表證在不表爲所在者而其人發狂於是知瘀熱在下焦瘀熱在下焦者少腹鞕滿爲當少腹鞕滿而小便自利者有血之候少腹鞕滿而

小便不利者。無血之候。故以發狂小便自利。徵為畜血也。治法解瘀熱。則表証自解。而熱在下焦瘀熱在裏。必云在。又云瘀。詳其固有也。桃核承氣湯証云熱結。不云熱在。詳其熱俄然結血糸為之俄然結其熱。非固有也。抵當湯証下焦云裏云。而不云膀胱者。遂對桃核承氣湯証。辨其所在異也。下焦裏位也。經脉為裏。膀胱腑也。腑為內。故論其所在。桃核承氣湯証深。抵當湯証淺。而桃核承氣湯証。血自下者。血但動而未結也。若血不下。但少腹急結者。血亦結。然曰其外不解者。尚未可攻。則桃核承氣湯主熱結抵當湯不拘於表証仍在則抵當湯主畜血者彰々乎明矣自利謂不須服藥而利也所以然者承太陽病六七日表証仍在脈微而沈反不結胸脈証不相應者言之夫若此脈証不相應者以太陽表証隨入經脈畜血因感動也畜猶固有也

右一章舉畜血因太陽病而感動者以詳抵當湯証之病位所在及方意詳見于方意握機傳又遙對桃核承氣湯証相照熱結與畜血病勢不同為以詳同異也

太陽病身黃脈沈結少腹鞕小便不利者為無血也小便自利其人如狂者血証諦也抵當湯主之

凡身黃者有表証有裏証有兼表裏其表而身黃者桂枝加黃耆湯証之類兼表裏而身黃者茵蔯五苓散証之類是也而裏証之中亦有二途爲其一則水氣之變其一則血証之變此其類各異者也然身黃者大率是為熱欝之候脈沈結沈者陽氣所掩之候無發越之勢也脈来緩時一止復来者名曰結結経之候結経曰結結絡曰促故身黃脈沈結少腹鞕者裏証而其小便不利者此為

有水氣其小便自利而如狂者此為有血古訓曰病應見于太表豈虚言乎哉火隔山而見烟牛隔壁而見角自然之符也夫証與應一而二二而一焉不可不辨而詳焉於此章則身黄脉沈結少腹鞕為証小便不利及小便自利其人如狂為應於桃核承氣湯則其人如狂為証少腹急結為應故若有疑迷者觀其脉証而執其應執其應而徵諸脉証則病之所在著焉所謂聞病之陽論得其陰聞病之陰論得其陽皆謂此也

右一章舉水氣之變爍於血証者重詳抵當湯

証之病位所在亦明異同同異也。

傷寒有熱少腹滿應小便不利今反利者為有血也。當下之不可餘藥宜抵當丸

傷寒有熱而少腹滿者是為水氣為變之候水氣為變者小便不利為應而反利者乃知為血証也故必曰不可餘藥者對桃核承氣湯以詳畜血之不可疑也而不發狂者以病勢緩也所以宜丸也詳見于方意握機傳宜者權時之辭又對桃核承氣湯言之若夫小便不利者隨証治之

右一章舉血証之緩者詳異同以明抵當丸之

方意也。已上三章。以詳正變緩急之状態各異也。已上六章。合為一聯。舉血証及其類証。以詳其所在各異焉。又明太陽病有轉血証之條理。以為中篇之結尾。

門人　城南　小佐治直季才　再挍

同　讚藩　築地貞子幹

傷寒古訓傳卷之二

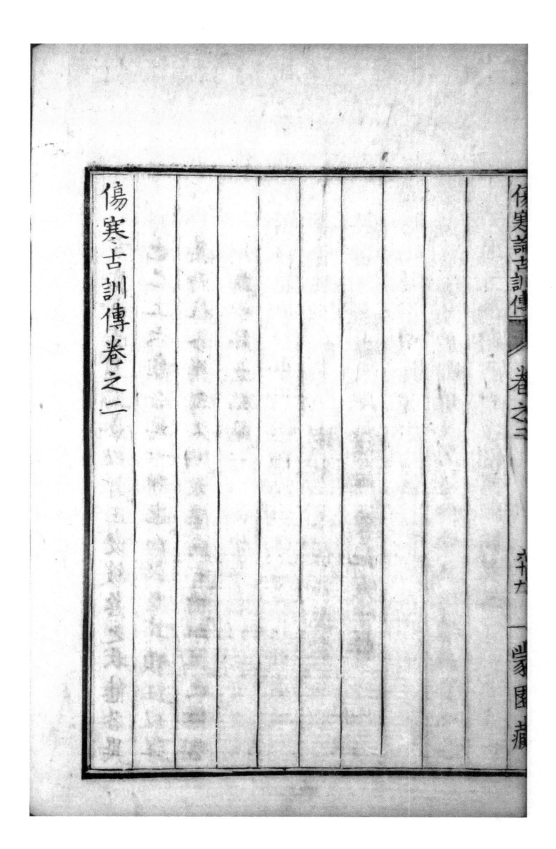

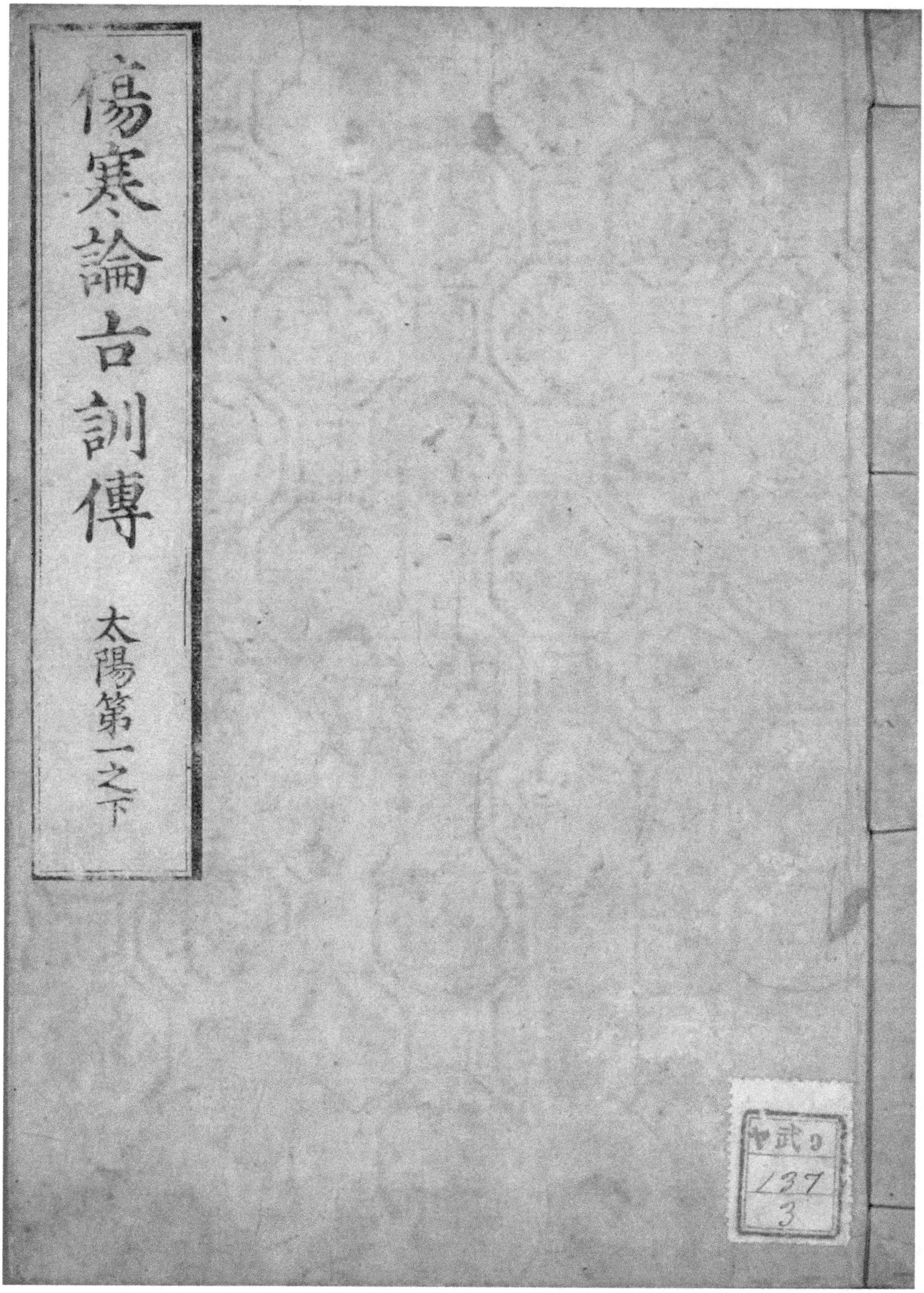
傷寒論古訓傳
太陽第一之下
ヤ武9
437
3

傷寒論古訓傳卷之三

日本　東與　及川達叔山父著
門人　安藝　澤潤子廣
友人　東都　鐸木壽君茂　校正

太陽第一之下

此篇總為二段。每段分為二節。始段前節凡七章。論結胸証。分為小三節。以詳太陽之轉。不結於陽明。則必入少陽也。太陽轉結於陽明者。於太陽上篇及中篇論之。故太陽上篇及中篇。以調胃承氣湯証為結法。此篇專明太陽轉入少陽之條理。故太陽下篇以少陽之結及於陽明而不至於承氣湯証者為結法凡病位在心胸者率少陽及厥陰也但陰陽其位相表裏則病勢異淺深不同矣耳故此篇亦錯病位在厥陰而為陽勢者論之猶病位在少陰而為陽勢者論之太陽中篇也示二陽二陰其實皆具于太陽變化之中但以太陰証希變化之中無見也然陽明及三陰其類自殊而有不關於太陽者故必區別其目遂為三陰三陽以詳其病勢也後節凡六章舉結心胸脇類於結胸者論之分為二小節以詳輕重淺深劇易緩急其

勢各異前後總十有三章合為始段以明同異異同也終段前節凡八章論結心胸而下利者以詳下利之病勢也後節凡七章論結心胸而不下利者以詳不下利之病勢也前後總十有五章亦明同異異同也已上兩段總二十有八章是為太陽下篇

太陽病脈浮而動數頭痛發熱微盜汗出而反惡寒者表未解也醫反下之動數變遲膈內拒痛胃中空虛客氣動膈短氣躁煩心中懊憹陽氣內陷心下因鞕則為結胸大陷胸湯主之若不結胸但頭汗出餘

處無汗劑頸而還小便不利身必發黃也
太陽病謂先動於表位而病勢緩易也舊本浮則
為風以下十六字蓋王叔和之家言非禁方之古
故今刪之以為家傳脈浮病勢發揚之候動數結
而發之候猶云陽浮而陰動數也盗汗者外欲解
胃氣不和之候故惡寒云反由是觀之盗汗糸有
內外之二途有表已解胃氣不和因表証仍在如
此者下之則表自解故有表未解而反下之之誤
不可不察而詳為而對盗汗胃氣不和論之則當
云外未解今云表未解者表者對裏之辭明對少

陽裏位結胸論之也脈遲熱欝結之候客氣對胃氣言之胃為主為內客猶云外也陽氣因下入経是為外為客氣動膈外証因下入膈結而動也膈者胸上喉下由病位察之所在仍淺故其應膈內拒痛短氣躁煩心中懊憹未至於結胸按之心下濡者是為梔子豉湯証也陽氣謂發動之氣也於此章斥頭痛發熱盜汗及悪寒言之內陥內者對外之辭繫胃言之故内陥者謂陽氣因下内入腑也深於客氣動膈者二等而甘草瀉心湯証病位及於心下淺於内陥一等深於動膈一等也而陽

氣内陷者有二途爲其一則結胸者其一則不結胸而發黃者故於梔子豉湯証之所在則曰胃中空虛客氣動膈於大陷胸湯及茵蔯蒿湯証之所在則曰陽氣内陷此皆詳其各証所在之淺深而示之也而其設辭之深切著明非至精至達孰能與於此所謂論成於黃帝者豈容疑乎哉然非好學默識深徹其意固難爲淺見寡聞道也若不結胸謂心下不鞕也但頭汗出以下其解詳見於陽明篇茵蔯蒿湯証之條此太陽病先動於表位而病勢緩易者因誤下薄裏病勢致劇急與傷寒同

歸誤逆變化之所使然而非病勢之自然四事之所以極變也下章所舉之結胸病勢之自然者此之誤逆之變則稍重爲凡病其輕重之權於是可知也而論中與傷寒對者或觀正變或示輕重或辨老少劇易或皆緩急或照同異或明異同以欲使學者思而得之也

右一章舉太陽病下後之變多岐途者旁論梔子豉湯及茵蔯蒿湯証遂隂及於甘草瀉心湯証以明大陷胸湯証之病位所在及方意也詳見于方意握機傳

傷寒六七日結胸熱實脈沈而緊心下痛按之石鞕者大陷胸湯主之

傷寒暴急陰陽倶病而伏結為情六七日是為初期常數為結胃之期而不結胃反結胸者傷寒之暴急外不得發越倏然而結也脈沈而緊猶云陽沈而陰緊也與脈沈緊不同為沈者有水氣不動之候緊者有發勢而不得發之候故脈沈而緊所以結胸之情可察為熱實實者結胃之辭然熱實者謂熱及於胃而非結胃之謂心下痛心下者病位也痛者有發勢陰緊之應石鞕者結胸熱實陽

沈之應。由是觀之。為結胸之勢。水在外而不動。熱
在裏而難發者。可知矣。故前章及後章。其証雖異。
亦不出於此勢也。
右一章。舉結胸之正。病勢之自然為者。重詳結
胸之病勢。而大陷胸湯証之病位所在及方意。
亦在此中矣。已上二章。為始小節。以詳異同也。
傷寒十餘日。熱結在裏。復往来寒熱者。與大柴胡湯。
但結胸無大熱者。此為水結在胸脇也。但頭微汗出
者。大陷胸湯主之。
傷寒。摽其變多岐逐也。十餘日。經再期仍不解者

非病勢緩之謂。詳傷寒之急。所犯之所在表裏内
外。其途不一爲也。熱結在裏。統病之所在言之。復
者。對始之辭。故復往来寒熱者。詳始有柴胡湯証
也。與者。俟後証之辭。結胸。謂心下鞕也。而其痛與
不痛。以病勢不同也。無大熱者。伏也。詳無發勢也。
為水結在胸脇。對熱結在裏言之。以詳大柴胡湯
証。大陷胸湯証。同其病位。而異其途也。而大柴胡
湯大陷胸湯。俱熱實証。而大柴胡湯。云熱結。大陷
胸湯。云水結。水結。謂無發動之勢也。故熱云。水云
者。欲各明其狀勢。而詳其異途也。熱。謂有發勢也。

水謂無發勢也故熱云往来寒熱詳其結也水云無大熱詳其伏也由是觀之大柴胡湯証結而不伏為情大陥胸湯証伏而結為情此同其病位而異其迹者瞭然可觀也頭汗鬱結心胸而上行之候故茵蔯蒿湯梔子豉湯及柴胡桂枝乾薑湯証皆有頭汗若夫發動不鬱者雖茵蔯蒿湯証無頭汗也凡結心胸者表解入経之候而鬱發異其勢其勢已異則証候亦不同焉一則結而發動者一則鬱而結者一則鬱結而伏者其結而發動者猶不大便五六日舌上燥而渇日晡所小有潮熱従

心下至少腹鞕滿而痛不可近者也其鬱而結者
猶結胸熱實脈沈而緊心下痛按之石鞕者也其
鬱結而伏者猶結胸無大熱但頭微汗出者是也
辨詳見于柴胡桂枝乾薑湯之條但結胸之但對
往来寒熱言之但頭微汗出之但對身言之而大
柴胡湯証若鬱則亦應有頭汗故大柴胡湯証相
類於大陷胸湯証而但往来寒熱為異矣耳
右一章舉結胸之兼伏者及有岐途者以詳大
陷胸湯証大柴胡湯証同其病位而病勢所在
異也

太陽病重發汗而復下之不大便五六日舌上燥而渴日晡所小有潮熱從心下至少腹鞕滿而痛不可近者大陷胸湯主之

重發汗而復下之明結胸之自然而不誤下之勢也又示病勢劇且重也又重發汗則發越之狀可察矣復者對始之辭病雖劇且重病勢發越不至於伏其勢與傷寒異者可觀矣凡大陷胸湯証外欝而結心胸結而有發動之勢是為結胸之態而今重發汗則無可以欝之陽而復下之則誘而波於胃遂至於少腹故不大便五六日舌上燥而渴

日晡所小有潮熱者。外發越而結心胸。以下之故波於胃及少腹。所以見陽明証也。而法實者不渇渇者為虚。虚實者。主胃不關於血氣。古之訓也。故舌上燥而渇。從心下至少腹鞕滿而痛不可近者。病在少陽。乃不大便五六日。日晡所小有潮熱者。病勢波及之所致。非内實之候。則大陷胸湯証。而無與二焉者。故曰主之。然其若所在不易與不知病勢而拘名實証候者。論為微矣乎。微矣乎。病之所在不可先傳者也。

右一章舉其病勢劇且重。漸為結胸。不誤下之使然。以詳太陽病。亦自為結胸。與傷寒無異。唯病勢之不同也。以上二章。以論發伏之狀勢。又對前二章。以詳正變及異同也。

結胸者。項亦強。如柔痓狀。下之則和。宜大陷胸丸。

心下鞕。為結胸。亦者。亦於心下鞕也。項者。太陽表位也。心下者。少陽裏位。而與陽明內位相密邇焉。自心胸腸深一等也。故論轉位之序次。則太陽表未解者。法為無轉少陽。若轉入少陽者。法亦為無太陽証。故結心下者。當無表証。若表仍未解者。不得結心下。此其常數也。故結心下。項亦強者。病勢之所及不關於表位之所在則非葛根証者不須辨而明矣而傷寒之勢非此例焉如柔痓狀發熱汗出不惡寒頸項强急而不至於口禁反張者為柔痓故云如狀者形容頸項强急之辭但欲詳項强之狀故不必發熱汗出不惡寒之証也然尚恐誤於表候故重復云下之則和詳見于方意握機傳宜者權時之辭

右一章舉結胸之緩者以詳大陷胸丸証之病位所在及方意也凡結胸者劇証也而劇証中之緩者為大陷胸丸証故承前章劇勢之急及

於陽明者以敘劇勢之緩及於大陽者也而舊本敘諸大陥胸湯之上蓋非禁方之古凡丸方次湯方先急而後緩古之訓也故今從古訓附諸大陥胸湯以論緩急也而本論之所主在論病勢以正其証候故設太陽病或傷寒或中風之名標其病勢加之以一物四事重窮病勢之變論明其所在也今不標其病勢徃以結胸為冒首唯舉方証示其所在者蓋承於大陥湯之法故暫敘諸茲屬諸大陥胸湯以為家傳庶幾弗畔矣乎已上三章為中小節以詳結胸之變

也。

小結胸。病正在心下。按之則痛。脈浮滑者。小陷胸湯主之。

此章無冒首。亦承諸大陷胸湯也。小結胸。小者。分諸大陷胸湯証之結也。脈浮者。發揚之候。滑者。結心胸而動之候。故病勢所在。相類於白虎湯。病正在心下而不渴。為異白虎湯証。病位高。小陷胸湯証。病位卑。渴之與不渴。及所在之淺深。不須辨而明矣。凡結胸。以心下鞕為名。而不痞不滿。固勿論於不鞕。按之則痛。不按則不痛。所以得小之名也。

其証之所由而来。徵諸脈則明矣。脈浮有發揚之勢。所以不痞不滿不鞕也。脈滑。結心胸而動。所以按而痛也。已不痞不滿不鞕則固無嫌於瀉心湯之類。及大柴胡湯証。詳見于方意握機傳

右一章舉結胸之輕易者。以詳小陷胸湯証之病位所在及方意也。

病在陽應以汗解之。反以冷水潠之。若灌之。其熱被刧不得去。彌更益煩。肉上粟起。意欲飲水。反不渴者。服文蛤散。若不差者。與五苓散。寒實結胸。無熱証者。與三物小陷胸湯。白散亦可服。

潠灌之法亦發汗之一法也病伏表位而緩者宜潠灌若不伏雖伏病勢急者不中行之也病在陽應以汗解者詳其不伏也故曰反夫潠灌劫其熱肉上粟起而欲飲水者有二途爲反不渴者文蛤散雖已結經未成裏證者也渴者五苓散結經已成裏證者也肉上粟起而結胸無熱證者亦有二途爲病正在心下者小陷胸湯主之病不及心下胸滿者白散主之此結胸無熱證者有二途之辨也寒實對大陷胸湯證熱實言之謂無熱證也與者俟後證之辨

右一章舉潠灌之誤逆。遂為結胸者。以示不特誤下。以詳文蛤散五苓散証。及小陷胸湯白散証之病位所在及方意。以明同異。詳見于方意握機傳。已上二章為終小節。論結胸之條理。而窮其微也。三小節總七章。是為前大節。總論結胸証。窮其微。遂辨病勢之劇易緩急及正變。以詳同異異同也。達按此章蓋非禁方之古。其文辭體裁。可比諸金匱要畧方。而不可比諸本論。且對寒實於熱實。不知訓詁妄言者也。然潠灌之法。本論闕無見。故暫存而不議。

傷寒六七日。發熱微惡寒。支節煩疼。微嘔。心下支結。外証未去者。柴胡加桂枝湯主之。

以下舉類結胸而病勢之易爲者。以詳太陽之轉結心胸之最居多也。故少陽証統論諸太陽少陽篇。但詳其病勢病位。以明少陽無特病也。而以陽明証不經太陽。徑自内動。引論諸陽明篇。故太陽轉屬胃者。不過於調胃承氣湯証或小承氣湯証也。傷寒六七日。當下之數。而外証未去。以其輕易也。外者。對内之辭。對六七日言之。外証未去而有柴胡証者。雖輕易傷寒之勢爲然。發熱微惡寒。支

節煩疼桂枝証也微微少也而支節煩疼及微惡
寒皆無汗之變若汗出則當惡風而無惡寒及支
節煩疼故桂枝証身疼痛者必無汗也可知矣微
嘔心下支結柴胡証不悉具者以外証未去也支
結未成其形其人但覺心下不利是為心下支結
故不曰痞鞕痞滿亦結之輕易者也詳見于方意
握機傳或問曰發熱微惡寒支節煩疼者桂枝湯
証無汗之變而無汗支節煩疼者猶無辨於麻黄
湯証何以知其辨也曰其辨在知方意夫桂枝湯
劇發為方意麻黄湯發勢緩易為方意故桂枝湯

証。無汗之變。必為惡寒。若麻黃湯証。則惡風必不至。惡寒。其惡寒者。以有劇發之勢也。其惡風不至惡寒者。以發勢緩易也。故証候之微。論諸方意。則其辨自明矣。

右一章。舉類結胸而輕易者。詳凡結心胸之所在。以明柴胡加桂枝湯之方意也。

傷寒五六日。已發汗而復下之。胸脇滿微結。小便不利。渴而不嘔。但頭汗出。往來寒熱。心煩者。此為未解也。柴胡桂枝乾薑湯主之。

傷寒五六日。結胸脇之常數也。復者。對始之辭。已

發汗而復下之者先概其病勢以論其所在也已
發汗表已解復下之仍未解者不陽明則少陽不
少陽則陰位夫結心胸者若少陽若厥陰唯其類
不同爲胸脇滿欝於經之候病位在少陽微結者
支結之微者也小便不利亦欝於經不得發越之
候雖則在經已得發越而不欝者無胸脇滿及小
便不利者而傷寒之勢已發汗則先發而結復下
之則復欝而結所以有胸脇滿及小便不利之証
也雖則胸脇滿而不至於苦滿若鞕滿者其以初
發汗已發也渴者發而結心胸之候病勢若欝若

伏者。法為無渴証。然結劇者。雖鬱有渴。又必以不嘔為証。侯者。詳胸脇滿者。應嘔也。由是觀之。柴胡桂枝乾薑湯証。其勢鬱發相兼者可知矣。詳見于方意握機傳。頭汗鬱結於経而上行之侯。但者。對身言之。但頭汗出。身無汗者有二途焉。一則但頭汗出。兼胃氣不和者。一則熱鬱結心胸。上行而不關於胃者。其兼胃氣不和者。大陷胸湯茵蔯蒿湯証是也。其熱鬱結心胸。上行而不關於胃者。梔子豉湯柴胡桂枝乾薑湯証是也。故但頭汗出者。總是為熱鬱結心胸而上行之勢。夫結胃者。表裏俱發越為本候故陽明病雖有外証不須服藥外自解是為陽明病勢之正候若外不得自發越者雖陽明病勢而胃氣不和終不能結爲論詳見於陽明篇往来寒熱結而半相動於表裏之候而不舉之諸証之始必舉之諸証之終者詳辯而發動之勢徵此下後之勢所以有頭汗之証在也故傷寒五六日中風之章往来寒熱舉之諸証之始詳中風劇發之勢也又本太陽病轉入少陽之章往来寒熱舉之諸証之終詳以脇下鞕滿發動之勢徵也故舉其証而終始之者亦皆論病勢詳其劇

易緩急也。心煩結而發動之候。凡柴胡証病勢鬱而結。故小柴胡湯証云。傷寒五六日。或四五日。或太陽病十日以去日數雖已經發汗尚未得發越徑入經。而半相動於表裏。是以小柴胡湯証。無曰發汗後者。此其病勢鬱而結者。可實而驗焉。而小柴胡湯証。無頭汗。大柴胡湯証。若有頭汗者。無它其以鬱之劇易所在之淺深異也。故能明病勢則無眩於証候。無眩於証候而後鼎足法不瀆矣。

右一章舉類於結胸者。以詳柴胡桂枝乾薑湯証之病位所在及方意也。已上二章。明柴胡証類。故結胸。但其勢微且易也。

傷寒、五六日。嘔而發熱者。柴胡湯証具而以他藥下之。柴胡証仍在者。復與柴胡湯。此雖已下之。不為逆。必蒸蒸而振。卻發熱汗出而解。若心下滿而鞕痛者。此為結胸也。大陷胸湯主之。但滿而不痛者。此為痞。柴胡不中與之。宜半夏瀉心湯。

傷寒五六日。結胸脇之常數也。嘔而發熱者。結胸脇而半相動於表裏之候。故但此一証。足以徵為柴胡湯証。而徵諸一証曰。具示傷寒之治法在視所在之轉機也。猶陽明篇對傷寒、大承氣湯証於陽明病太承氣湯証論傷寒之與陽明病其治法法緩急不同也柴胡湯証具而以他藥下之權也治法轉化之徵亦以傷寒之暴急也夫嘔而發熱者或有結己成者或有結仍未成者是以下後之變凢分諸三途爲其一則以他藥下之柴胡証仍在者結胸脇而其結己成者也其一則以他藥下之心下滿而鞕痛者此柴胡証其結仍未成故爲下内陥而轉其所在也其一則以他藥下之但滿而不痛者以下之故其病頗解是以其餘雖轉所在仍不至内陥以病勢己易也而此三途之變結之

輕重。雖各異。其所在相近。未免嫌疑。是以作者設下而論之。以詳劑易輕重其所在各異也。柴胡証仍在者。復與柴胡湯。復者對始之辭。與者須復証之辭。以始有柴胡証在。與柴胡湯。然傷寒之暴急有當下之証。則與柴胡湯而不徹。故先以他藥下之也。下之急証已解。柴胡証仍在者。治法得權。故復與柴胡湯。則蒸蒸而振。卻發熱汗出而解也。故柴胡証具者。而以他藥下之。而不曰醫若反示其得權也。心下滿而鞕痛者。柴胡証為下激動轉其所在。一等深。但滿而不痛者。柴胡証頗解。其餘轉而未和。此二者率與大柴胡湯之病位相類故曰柴胡不中與之。詳其大同小異也而於大陷胸湯則曰主之。於半夏瀉心湯則曰宜以半夏瀉心湯証。最近於柴胡証故對柴胡湯曰宜又對大黄黄連瀉心湯也。詳見于方意握機傳

右一章舉柴胡証。近於結胸者。遂示治法轉化之徵。以詳小柴胡湯大陷胸湯半夏瀉心湯証之病位所在及方意。旁陰論大柴胡湯証之病位所在及方意。已上三章。是為前節。總舉類於結胸者。以詳結胸之所在及其勢。以終結胸之

論爲。

心下痞按之濡其脈浮者大黄黄連瀉心湯主之。

舊本作其脈關上浮凡脈言寸關尺者盖非禁方之古故今刪之以從古訓方盖脱黄芩當補爲而必擧脈浮者分諸半夏瀉心湯証也浮者發揚之候病勢發揚者不問陰陽表裏皆能爲浮也而脈浮者凡三途爲一則表爲所在二則裏爲所在三則陰爲所在而表爲所在其脈浮者亦分爲四途爲一曰脈但浮者病勢緩者也二曰浮兼緊者病勢將發而不得發之候病勢劇而皮毛未解者也

三曰浮而兼弱者。病勢自發越之候。皮毛已解者也。四曰浮兼數者。病勢發揚。反不汗出之候。亦皮毛解也。裏為所在。而其脈浮者。亦分為四途焉。曰脈浮者。曰浮兼細者。曰浮兼滑者。曰浮而兼緊者。裏為所在。而其脈浮者。牽結心胸而發揚之候。若兼細。若兼滑者。亦皆結之候。而但病勢之劇易不同已。浮而兼緊者。結未成之候。陰為所在。其脈浮者。外熱之候。若兼遲者。亦結之候。而遲者。徵之易者。此脈法之一隅。而皆古之訓也。心下痞。按之濡者。以病勢仍發揚也。裏為所在。病勢發揚者。必動於心胸。故脈浮不必表証。由是觀之。大黃黃連瀉心湯証之病位所在。大同於半夏瀉心湯証。而病勢及胃。脈浮為異也。詳見于方意握機傳。

右一章舉心下痞者。附諸半夏瀉心湯。以詳同異。遂明大黃黃連瀉心湯証之病位所在及方意也。

心下痞。而復惡寒汗出者。附子瀉心湯主之。

心下痞。率得諸汗下若吐後。為常例。復者。對始之辭。故復惡寒者。乃知發汗表解後之惡寒。故曰惡寒汗出。而不曰發熱。若表未解而汗出者。惡風為

常。今惡寒。而無發熱。亦汗出而不惡風。反復惡寒者。斯知繫在體也。詳見于方意握機傳

右一章舉瀉心湯証之變。以詳裏証之汗及惡寒也。

本以下之故。心下痞。與瀉心湯。痞不解。其人渴而口燥煩。小便不利者。五苓散主之。

表未解而下之。則結心胸心下。此其常數也。故本以下之故者。謂表未解而下之。又示病勢欝也。而不至結胸。止於心下痞者。以病勢易也。凡心下痞者。病勢欝而結之候。小便不利。亦欝結而結心下

之候。凡渴者。病勢發而結心胸之候。法為無鬱勢
而五苓散証。有心下痞。及小便不利者。故設下。論
五苓散証亦兼鬱。又辨與瀉心湯証之痞異。詳見
于方意握機傳。
右一章舉心下痞之類証。以詳五苓散証之病
位所在及方意也。以上三章。不稱病名。但舉方
証者。蓋承諸前章之法。若不承諸前章則傷寒
中風及太陽病所在轉化之途同者。此本論之
例也。達竊按右三章俱論心下痞。皆半夏瀉心
湯之類証。而非十棗湯之類証。舊本敘諸十棗

湯之下。蓋非禁方之古。故今從本論之例附諸半夏瀉心湯。詳其同異。以為家傳己上六章。分為二小節。始三章論結胸之類證。以終結胸之論。是為始節。次三章附諸半夏瀉心湯以敷衍心下痞之類證。是為終節。終始合六章。是為後大節。前後復合凡十有三章。是為始段。總論從心胸脇至心下之病位也。

太陽中風。下利嘔逆。表解者。乃可攻之。其人漐々汗出。發作有時。頭痛心下痞鞕滿。引脇下痛。乾嘔短氣。汗出不惡寒者。此表解裏未和也。十棗湯主之太陽表位為所在病勢劇發者是為太陽中風對表証之稱而十棗湯証下利嘔逆者水氣結經而發動雖有中風之勢不可謂之太陽故舉十棗湯証之感表証而動者概謂之太陽中風然其意在論十棗湯証不在論表証是以不枚舉其表証徑曰表解者詳畧之義也下利嘔逆結心下之候是為裏証由是觀之十棗湯証表裏俱病其勢與傷寒相類然傷寒所感深重表裏俱病表裏俱難發是為傷寒之勢太陽中風下利嘔逆者謂表裏俱病也表解者乃可攻之謂不須服藥表自解也故

雖表裏俱病中風劇發之勢。不須服藥。表自解。則
與傷寒相反者。可實而驗矣。嘔逆變為乾嘔。漐漐
汗出。發作有時者。表解益結之候。然汗及頭痛尚
嫌於表證。故重曰汗出不惡寒者表解。以辟嫌疑
也。表已解。而頭痛心下痞鞕滿引脇下痛者。水結
經而發動之候。心下痞。雖若有欝狀。以汗出觀之
病勢發而結之候。對諸生薑瀉心湯證。脇下有水
氣。腹中雷鳴者。觀之。亦中風劇發之勢益明矣。十
棗湯證。以有劇發之勢。為汗為痛。所以不雷鳴生
薑瀉心湯證。雷鳴者。無汗無痛。以無發勢也。凡下

下利者其逆雖多槩言之在經病勢及胃及胃竟不能結故論下利始於十棗湯証以下廣舉下利之病逆以詳不能結胃之勢也

右一章舉太陽中風表裏俱病而結其狀類於傷寒者以詳中風剽發之情遂明十棗湯証之病位所在及方意也詳見千方意握機傳以下敷衍結心下之類証而論下利之状情及其條理以詳其病勢也

傷寒汗出解之後胃中不和心下痞鞕乾噫食臭脇下有水氣腹中雷鳴下利者生薑瀉心湯主之

傷寒謂所感之深也汗出解之後謂無發勢也又對甘草瀉心湯証論病勢之緩急也而汗出解之後胃中不和者辟實示虛之辭汗出不解胃氣不和讝語者為實虛謂在外而不關於內也雖胃中不和在外而不關於內者心下痞鞕乾噫食臭脇下有水氣此其候也夫病位之在心胸心下者凡二途焉一則從外及心胸心下者一則從內及心胸心下者而舉其一二言之其從外及者猶甘草瀉心湯及木防已湯証是也其從內及者猶厚朴大黃湯及木防已去石膏加茯苓芒硝湯証是也

故虛之嫌於實實之疑於虛則必言虛實使之無眩於其証候也其不言者証候已無岐途也乾噫食臭及腹中雷鳴似欝而非欝皆結而無發勢之候水氣無熱狀之符言下利猶十棗湯証而其所在深故曰胃中不和也而十棗湯証以其結淺不關於胃以有發勢無腹中雷鳴故中風傷寒大同其所在而其勢所及之淺深自異者瞭然可見矣詳見于方意握機傳

右一章承前章太陽中風所感之淺以論傷寒所感之深以詳生薑瀉心湯証之病位所在及

方意也

傷寒中風醫反下之其人下利日數十行穀不化腹中雷鳴心下痞鞕而滿乾嘔心煩不得安醫見心下痞謂病不盡復下之其痞益甚此非結熱但以胃中虛客氣上逆故使鞕也甘草瀉心湯主之

合舉傷寒中風者詳病勢病遂其歸同也表証未解而下之故曰反於是乎無傷寒中風之別所以合舉也又作者欲詳下利之病勢而無言之可以寄焉故設反下之誤對生薑瀉心湯証病勢緩易無發狀而下利以詳甘草瀉心湯証病勢劇急兼

[illegible]發而下利也穀不化水氣輻湊胃中之候與清穀不同下利數十行心下痞鞕而滿乾嘔心煩皆因誤下陽氣入經之候若陽氣內陷者是為結熱結熱者或為結胸或為發黃或為大柴胡湯証心下痞鞕嘔吐下利雖未成實當攻之候故非結熱云胃中虛云詳其不內陷也客氣對胃氣外之也謂陽氣入經而終不入胃詳非其所攻也曰心下痞鞕而滿者何以知其結熱與客氣之辨乎曰凡病在經而不入胃者為虛外解已而入胃者為實實者結燥為候虛者反之故穀不化腹中雷鳴皆

非結熱之候已非結熱乃知心下痞鞕而滿者客氣之使然詳見于方意握機傳

右一章舉傷寒中風反下之則其病勢俱歸於一途與引者詳甘草瀉心湯証似實而虛以明其所在及方意也以上三章始二章論中風傷寒之勢淺深輕重自別終一章論或有傷寒中風之勢歸於一途與引者以詳同異

傷寒服湯藥下利不止心下痞鞕服瀉心湯已復以他藥下之利不止醫以理中與之利益甚理中者理中焦此利在下焦赤石脂禹餘糧湯主之復利不止

者。當利其小便。

此章欲詳病位在下焦而下利者故設瀉心湯及理中之劑以論下焦之下利也。瀉心湯斥甘草瀉心湯言之。服瀉心湯已。謂通上中下利已也。理中者。總謂理中焦之劑也。非特斥人參湯

右一章論在上中焦及下焦而下利及因小便不利而下利者。詳下利各異其所在。以明赤石脂禹餘糧湯証之病位所在及方意也。詳見于方意握機傳。已上四章為始小節。總論下利之病勢也。達按此章蓋亦非禁方之古其文辭體

裁更不似於本論然赤石脂禹餘糧湯証它無見故暫存而不議也

傷寒發汗若吐若下解後心下痞鞕噫氣不除者旋覆代赭石湯主之

發汗後論病勢屬中風者吐下後論病勢屬傷寒者皆主太陽病言之於傷寒言發汗吐下後者論欝發之勢及水氣多少之變詳結之輕重劇易也凡曰解後者謂無寒熱之候也噫氣不除者飲食已化而心下不利之候乾噫食臭者食不化而心下不利之候食不化者以有水氣也所以生薑瀉

心湯証下利而旋覆代赭石湯証不下利也故心下痞鞕噫氣不除者對生薑瀉心湯証心下痞鞕乾噫食臭以詳同異也生薑瀉心湯証旋覆代赭石湯証俱經為所在然水氣多少之變及於胃與不關於胃各異其勢故生薑瀉心湯之條曰汗出解之後旋覆代赭石湯條曰發汗若吐若下解後此四事之所以極變化而盡微也詳見于方意握機傳凡候法所病為病位而淺深之候徵諸病位之高卑若同其病位者必明病勢觀其脈証繫之粤足法則其所在見爲古之訓也

右一章舉心下痞鞕而不下利者以詳旋覆代赭石湯証之病位所在及方意又對生薑瀉心湯証反明下利之病勢也

太陽病外証未除而數下之遂協熱而利利下不止心下痞鞕表裏不解者桂枝人參湯主之

外証外者對內之辭對數下之言之除讀猶掃除之除也謂解後猶掃除而洒然也故不曰未解而曰未除所以下之而不曰逆也故雖數下之其勢不當至於利下不止而下利不止者乃知為協熱利而甘草瀉心湯証以無固有裏寒表証因下悉

入經其病勢最劇急也桂枝人參湯証以有固有裏寒外証不得悉入裏是以外証遂成所故概其所在曰表裏不解又以外証不悉入裏其病勢亦緩也凡下利者腠理塞而不能運行水氣因輻湊胃中之候故在表而腠理塞者發汗而通之在經而腠理塞者通利發達而通之故在經而腠理塞者必結心下心下痞鞕是其應猶十棗湯証及瀉心湯証乃下利之情可概而知矣協猶和也凡與類者相混而不乖為協外証未除而數下之表熱與裏寒相混而不乖故曰協熱詳固有裏寒也作

者欲詳協熱而利表裏不解者之病勢及病途而難其言故設外証未除而數下之者論之遂明桂枝人參湯証之病位所在及方意也而不曰人參加桂枝湯曰桂枝人參湯亦別成一方者也詳見于方意握機傳

右一章對甘草瀉心湯証詳太陽病勢因下為傷寒之勢亦同異之類

傷寒大下後復發汗心下痞惡寒者表未解也不可攻痞當先解表表解乃可攻痞解表宜桂枝湯攻痞宜大黃黃連瀉心湯

傷寒大下後復發汗復重復也詳傷寒之暴急劇
深也心下痞惡寒者表裏証也於是治法有先後
對前章桂枝人參湯証表裏不解者治法無先後
以詳病証及治法之條理不可紊也曰何謂條理
也曰或有其病位其所在表裏内外相混相及者
或有表裏内外各守其病位各止其所在而不相
混相及者是謂病証之條理而相混相及者治法
無先後其相混者猶小青龍湯証或柴胡加桂枝
湯証或柴胡加芒硝湯証或厚朴七物湯証或桂
薑草棗黄辛附湯証或附子瀉心湯証或桂枝人

參湯証是也其相及者猶太陽與陽明合病者葛
根湯証及麻黃湯証或太陽與少陽合病者黃芩
湯証或三陽合病白虎湯証是也其不相混相及
者治法有先後猶傷寒脈浮自汗出小便數心煩
微惡寒脚攣急者或下利清穀身疼痛者或心下
痞惡寒者是也是謂治法之條理或問曰心下痞
惡寒者嫌於附子瀉心湯証何以知惡寒之為桂
枝証又何以辨不為附子証乎曰附子瀉心湯証
惡寒而反汗出非桂枝証桂枝証汗出者惡風為
正候若其惡寒者無汗之變故惡寒汗出者足以

徵不為桂枝証此章惡寒發汗後証故曰宜桂枝湯辨各詳于本條之下且此章其意専在論治法先後不在論方証及所在故約其所在但曰心下痞惡寒然尚恐惡寒之亂於附子証故重云表未解的實為表位之惡寒也此其詳畧之義亦不可不識矣當者法語也宜者權時之辭

右一章舉治法有先後者對前章治法無先後者以詳同異也

傷寒發熱汗出不解心下痞鞕嘔吐而下利者大柴胡湯主之

發熱者。法當汗出而解。而汗出仍不解者。病勢將結胃之候。而發熱汗出者。三陽皆有之。故必由鼎足法。知其的實也。所謂鼎足法合脈證及病位三者。而定其所在。然合病位病證。而所在已定者。不必合脈。假如發熱汗出不解而惡風者。爲太陽。不惡寒惡風者。爲陽明。病位在心胸脇及心下者。爲少陽也。發熱汗出不解者。病勢將結胃。而心下痞鞕嘔吐者。病位仍在少陽。故病勢及胃而不能結爲。所以下利也。少陽爲所在。而病位至心下者。少陽之極深者。故病勢遂及於胃。是爲大柴胡湯證。

之病位所在及方意。

右一章擧病勢及胃將結而不能結者以敷衍下利証以詳同異遂反復大柴胡湯証之病位所在及方意而明之也已上四章為終小節又錯不下利之病勢而論之反的實下利之病勢也。

病如桂枝証頭不痛項不強脈微浮胸中痞鞕氣上衝咽喉不得息者此為胸有寒也當吐之宜瓜蔕散

不論陰陽及中風傷寒皆能為此証故不以病名但云病也凡結心胸中者屬少陽少陽者經為所

在故病勢及於表位少陽之最淺者也桂枝証謂汗出惡風或發熱如者形容其狀態頗相似之辭故汗出惡風或發熱而頭不痛則非桂枝証又其氣上衝者猶太陽病下後之變桂枝湯証然其若下後之變桂枝湯証之其氣上衝者其外當發動之証以為下之故難發動其外不和其氣變而上衝也若瓜蔕散証之氣上衝者外有汗出惡風或發熱之發勢而上衝則非外不和之所致又項不强則非葛根湯証項强之極其氣上衝者乃知雖有如表証者所在不關於表位也凡脈分寸關尺

者筆於素問成於叔和氏本論時但分陰陽而已亦不待切脈之意也故寸脈微浮今作脈微浮以為家傳近　我邦勢州有村山維益士謙者著古脈法圖解曰寸者謂左右魚後同身寸二寸許之動脈也關者謂左右肘中之動脈即尺澤也尺者謂當臍少左之動脈也其言皆有攷證嗚呼可謂勤也耳然蓋素問以降之言非禁方之古其若三部名義或當然爲而徵諸傷寒論異於余之所見也微者結之應而胸中痞鞕之候胸中痞鞕外不得見諸形故舉脈詳其結胸中也浮者發揚之

候凡結經而發揚者必動心胸氣上衝咽喉是其候詳當吐之勢也不得息者呼吸不足也又胸中痞鞕之候寒者病毒之別稱非對熱之辭故與有寒飲之寒不同凡胸中有病者以吐為法故曰當宜者對梔子甘草豉湯言之

右一章舉結於胸中而不及心下者對前章結心胸心下者詳所在之淺深以明瓜蔕散証之病位所在及方意詳見于方意握機傳

傷寒病若吐若下後七八日不解熱結在裏表裏俱熱時時惡風大渴舌上乾燥而煩欲飲水數升者白

虎加人參湯主之

傷寒病病字蓋傳寫之誤也當作傷寒凡傷寒吐下後之勢反發動焉故屬之中風以對傷寒也七八日再期之初謂傷寒之深重也熱結在裏在者明其所在以的實不關於表位也表裏俱熱對次章無大熱詳發動而不伏之狀也時時者結之候惡風表熱之候而非表証大渇舌上乾燥而煩欲飲水數升者結心胸而發動之候詳熱結在裏乃知惡風表熱之勢而非表位之所在也故先舉白虎加人參湯証之發動者對次章兼伏者相照其

發伏之勢以詳異同也

右一章舉傷寒吐下後之病勢反發動者以詳白虎加人參湯証之病位所在及方意也

傷寒無大熱口燥渴心煩背微惡寒者白虎加人參湯主之

傷寒暴急而伏結為情無大熱伏也病勢之暴急不經發汗吐下徑結心胸不得發越所以伏也對前章吐若下後結而發動者以詳發伏之勢也口燥渴心煩結之候而非伏之候然此諸大渴欲飲水數升無伏者可知爲夫伏者必不渴故三陽合

病或厥陰篇白虎湯証之不渴以其為伏証也背微惡寒結而發之候所以有口燥渴在也而背屬體是為裏位微幽微也微少也謂深故雖有惡寒之發狀必背云微云乃知非表証而與少陰病附子湯証背惡寒相類然彼則陰狀此則陽勢其異者不須辨而明矣此章不經吐下徑結徑伏以傷寒之勢暴急也前章雖結仍發動而不伏以傷寒吐下後之勢也故傷寒之勢屬於中風者吐下後之病勢為然四事之所以盡變也

右一章舉結而兼伏者論傷寒之情重明白虎

加人參湯証之病位所在及方意也。詳見于方意握機傳。已上二章。舉熱結心胸而發者。與熱結心胸而兼伏者。論發伏之勢其証不同以詳異同。而大渴舌上乾燥而煩。與口燥渴心煩其於所在。則熱結在裏者。而俱無淺深。但以發伏之勢不同。其証有異也。故未知病勢者。難與言所在矣。

傷寒。脈浮發熱無汗。其表不解者。不可與白虎湯。渴欲飲水。無表証者。白虎加人參湯主之。

前二章惡風惡寒。雖有裏証之辨。仍嫌於表証。故

設此章明白虎湯証必無表証重的實前二章惡風惡寒非表証也

右三章論白虎湯証之病位所在及方意而詳之也已上四章總論結心胸而不下利之病勢也

太陽與少陽合病自下利者與黄芩湯若嘔者黄芩加半夏生薑湯主之

病表位為所在其應發動上行而不伏者是為太陽病熱入心胸脇而兼發動上行之勢者是為少陽少者對太陽之太謂發動上行之勢少也凡病

之所在一途而其應動於二途或三途不得謂之表亦不可得而為裏者是為合病太陽與少陽合病者少陽為所在及於太陽太陽與陽明合病者太陽為所在及於陽明三陽合病者亦少陽為所在及於太陽陽明凡合病者病勢極緩故白虎湯証伏則為三陽合病也由是觀之黄芩湯証病勢極緩雖有熱非發熱雖或發熱以其熱翕於心胸屬身熱故不得謂之太陽証而有微惡寒若惡風表熱之候故亦不得謂之少陽証所以稱合病也故雖熱在裏不能專結雖動表已裏為所在則亦

不能自發爲所以下利也若嘔者加半夏生薑若者涉於両岐之辭謂本應無而時有之黃芩湯証本應無嘔而時有之也故舉加法以明治法應變之微詳見于方意握機傳

右一章舉熱欝心胸而勢及於表者以詳黃芩湯証之病位所在及方意也

傷寒胸中有熱胃中有邪氣腹中痛欲嘔吐者黃連湯主之

胸中有熱詳欝而不能發越也對欲嘔吐言之胃中有邪氣重詳欝狀也對腹中痛言之故腹中痛

欲嘔吐者。經爲所在病勢欝而結故外無寒熱之發狀然腹中痛欲嘔吐者結而含發勢之候夫經爲所在病勢欝者應下利之候而反不下利以其含發勢也詳見于方意握機傳按胸中有熱胃中有邪氣二句蓋後人之註文誤入於本文者。

右一章舉應下利之病勢所在而反不下利者以詳其所以下利及其所以不下利遂明黄連湯証之病位所在及方意也

傷寒脉浮滑此表有熱裏有寒白虎湯主之。

脉浮病勢發揚之候滑者結心胸而動之候而唯

舉其脈畧其証者詳脈者証之源也故必舉諸太陽篇之終的實凡証候之有岐途者必決諸脈也夫古之脈法非有委曲率不過於發動伏結抑揚淺深之八道此八道之狀勢亦無異於萬物之狀勢故萬物之狀勢視諸目前則脈之狀勢亦可知矣耳非有委曲也故古訓云不待切脈切謂其委曲也叔和氏之流表有熱對脈浮以概其証也寒者病毒之別稱寒讀猶為胸有寒之寒也非對熱之辭故裏有寒對脈滑以概病位也裏者統經及陰位言之凡在經者心胸為病位心胸在陽類是

為少陽由是觀之白虎湯証経為所在結心胸以
病勢發揚表裏俱熱為正候詳見于方意握機傳
若伏則其變最居多焉所以然者少陽近于太陽
而厥陰為裏又熱結為情則親于陽明故白虎湯
証伏則為三陽合病或為厥陰証是以必舉諸太
陽之終以詳太陽之變化不可窮極也達按此表
有熱裏有寒二句蓋後人之註文誤入於本文者
右一章舉傷寒之初發未伏者以詳白虎湯証
之病位所在及方意也以上二章舉結心胸而
不下利者又詳黃芩湯証結心胸而下利之勢

故已上三章為一聯詳病位所在大同而方意
則各異也總七章是為後大節總論結心胸而
不下利之病勢前後合十有五章是為終段總
明同異異同也凡病不問陰陽其極必入心胸
於是乎有劇易緩急發動伏結淺深輕重之別
同異異同之所由而起也故作者先分陰陽遂
建三陰三陽以辨其病位病狀又設中風傷寒
病勢相反者以詳其証候承以一物四事極其
變以索其的實故學者若能得其的實其若分
陰陽及三陰三陽中風傷寒一物四事則魚兎

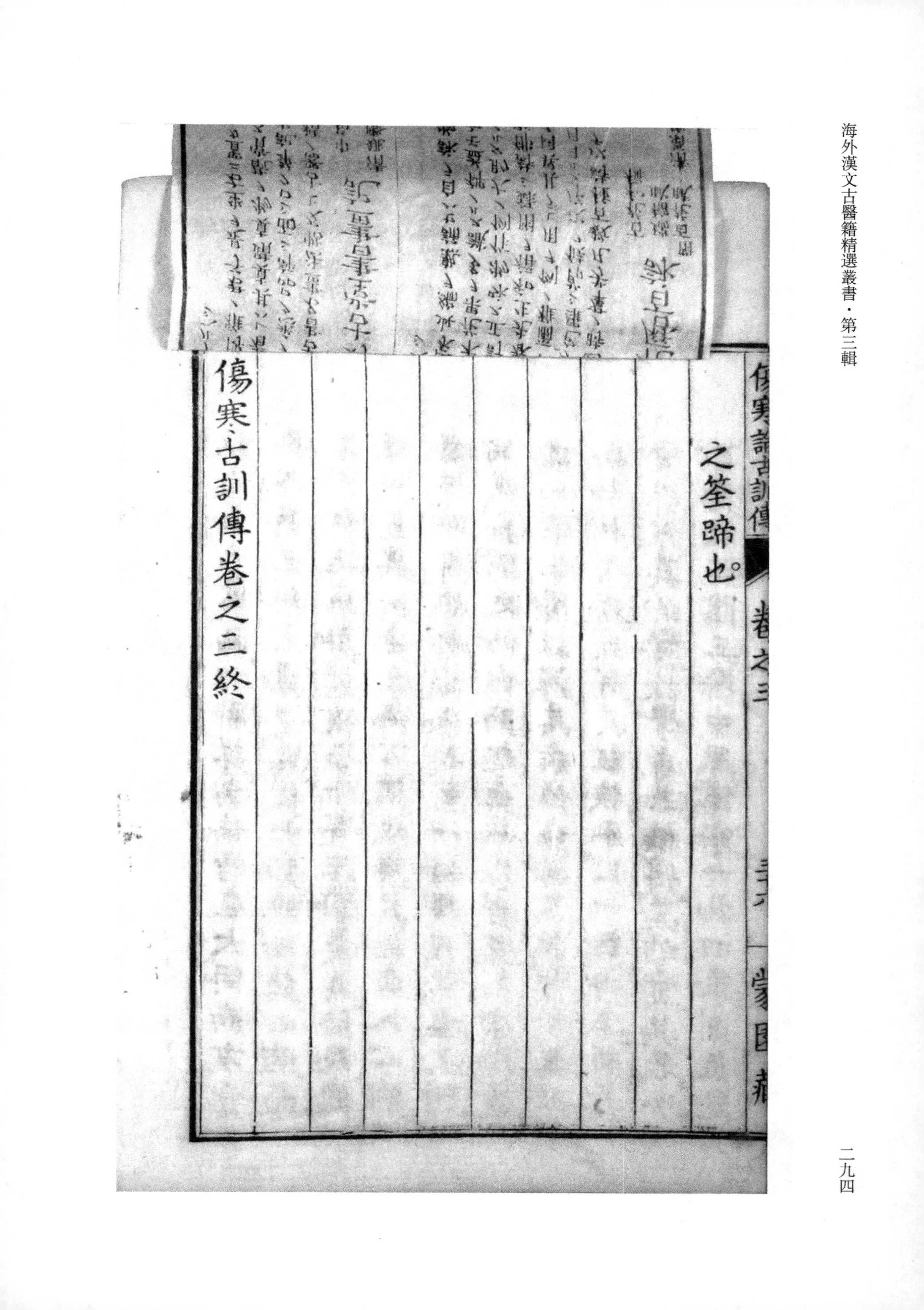

之筌蹄也。

傷寒古訓傳卷之三終

之筌蹄也。

花曆百詠　附百花賦　瑞榴賦　百花和稱　清翁榴春著　二册

四時ノ羣芳凡数百種詩ヲ以テ題詠シ賦ヲ以テ包羅シ節候ヲ次序スル丁月令ノ體ニ效ヒ爾雅ノ例ヲ用ヒテ其異同ヲ辯釋ス占春先生和稱ヲ附錄シ詩佛顯齋二先生訂正ス詠物作例ノ大助タルノミナラス草木花果ヲ多識スルノ裨益モ亦少カラス詩家此編ヲ熟誦セハ自ラ詠物ノ佳境ニ入ヘシ

好古堂書畫記　清姚際恒著　巾箱本　二册

古書名畫法帖及ヒ古器ノ精妙奇絶ナルヲ悉ク品評シ面シロク筆記セリ今此書ヲ看レハ其真蹟真物ヲ疏賞スルカ如シ好古博雅ノ君子是ヲ坐右ニ置カハ識鑒ノ大益アルヘシ

三家詠物詩　謝宗可　瞿宗吉　張木威　三册

詩ハ詠物ヨリ妙ナルハ無ク詠物ヨリ難キハ無シ言フ能ハサルヲ能ク言ヒ動ク能ハサルモノヲシテ能ク動カシメ無情ヲ變シテ有情トナシ死物ヲ起シテ活物トナス是詩人比興ノ妙手ナリ詩三百ヨリ以降歷世詠物ノ作アリ唐宋ヨリ元ニ至テ殊ニ盛ナリトス是ヨリ先ニ詠物ノ詩ヲ編輯シテ一家ノ集トナス者無シ元人謝宗可ヲ鼻祖トス繼テ明ニ瞿宗吉アリ清ニ張木威アリ皆詠物ノ大匠ニシテ後作ノ軌範トスルニ足レリ四方ノ詩家此集ヲ熟讀セハ自ラ詠物ノ妙境ニ至ラン

元百家絶句　朝長晉亭先生選　二册

元朝ノ名家元好問ヲ始數百家ノ絶句佳作妙篇ヲ選ヒ各作家ノ字號爵里出處及ヒ其著述ノ書目ニ至ルマテ各名ノ下ニ付記ス詩佛五山二先生審定セリ詩家ノ案上此一本ヲ缺ヘカラス

（注：二九五葉展示二九四葉的夾紙信息，特此加葉。）

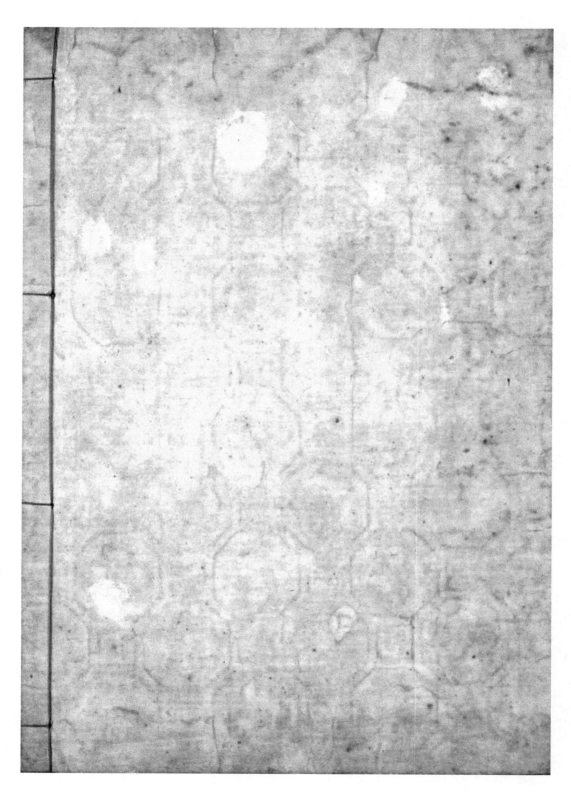

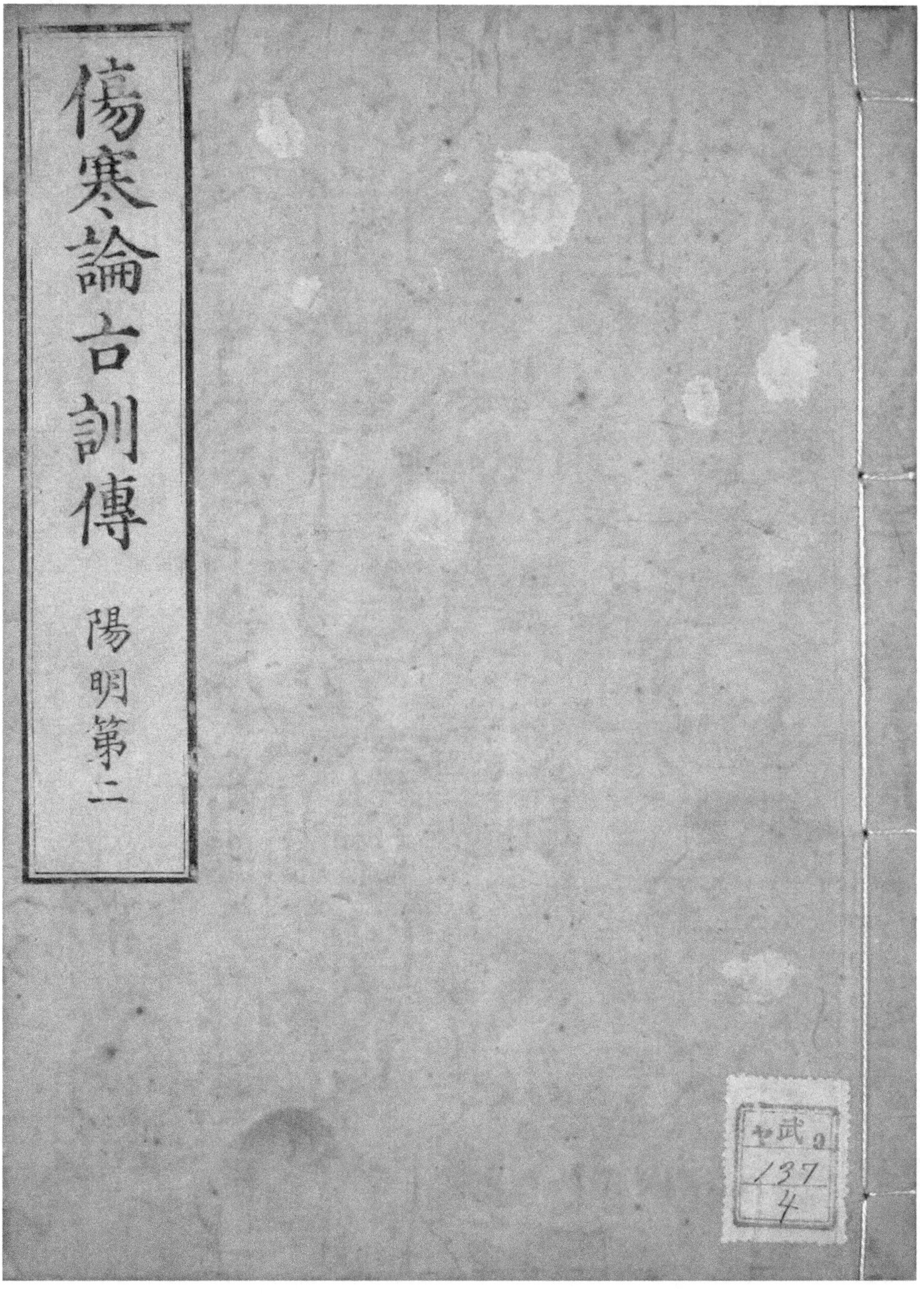
傷寒論古訓傳
陽明第二

傷寒論古訓傳卷之四

日本 東奥 及川達叔山父著
門人 仙臺 細川友直子益
友人 東都 鐸木壽君茂 校正

陽明第二

凡發動上行之勢謂之陽物不能掩爲莫苟所嫌疑謂之明故陽勢較然物不能掩爲莫苟所嫌疑於陰狀者是謂陽明知結而不知伏主病勢遂稱爲病位而所在不與爲不經太陽表暨少陽裏位徑自内動而結胃者是謂陽明病所謂實也故結

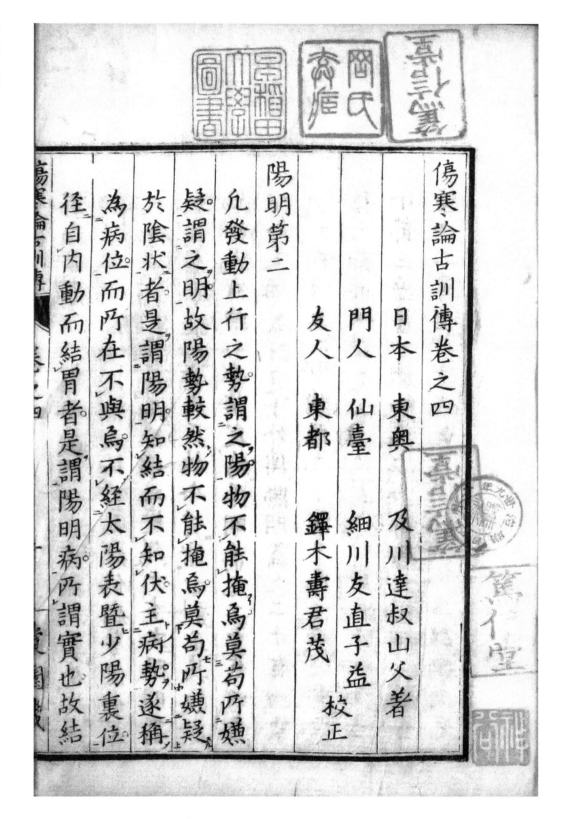

胃而發動上行陽勢較然物不能掩焉莫尚所蘊
疑於陰狀者陽明病之正候而病位病勢俱全者
也若欝而結者是為陽明之變詳于本文陽明篇
敘次錯亂蓋非古之正故今質諸古訓正其敘次
且刪後世攙入之章定為陽明篇凡二十有四章
以為家傳說詳見于外傳陽明篇凡二十有四章
分之前後為二段前段凡十有三章又兩之為前
後大節前大節凡七章又分之小節為始中終始
小節三章首一章約其病位病勢為陽明之總目
章次二章舉調胃承氣湯証論異同以詳陽明之

勢自此始也右三章為始小節中小節二章舉大承氣湯証論異同以示陽明病純粹之勢也終小節二章舉小承氣湯証論異同以詳陽明病勢之未純者也右始中終三節合七章為前大節總舉陽明之正候以論淺深劇易也後大節凡六章總論大承氣湯之方意而明之而小承氣湯之方意在其中矣前後大節合十有三章是為前段總論三承氣湯之病位所在及方意終陽明之正論後段凡十有一章分為三節首節三章舉在少陽為陽明之勢者遂明治法握機之要妙中節五章分

為小節二始小節三章舉陽明病勢而發黃經為所在者終小節二章舉血証經為所在於陽明者右始終小節合五章為中節總詳異同同異尾節三章舉少陽為所在為陽明証者論其病勢遂附嘔之屬胃者或病已解為陽明証者以極變化首中尾三節合十有一章是為後段總敷衍陽明証廣論淺深劇易緩急以詳同異異同前後二段合凡二十有四章是為陽明篇

陽明之為病胃家實是也

胃家二字衍蓋後人之附會實者虚之反虚實者

以胃言之古之訓也故熱結胃為實大便鞕此其應

右一章約陽明之病位病勢以為陽明病之總目章而所在不與焉

陽明病不吐不下心煩者可與調胃承氣湯

不經太陽及少陽徑自內動為陽明病故陽明病法為無外証所以不言發汗若吐也傷寒言吐後者轉入陽明之候非陽明病勢不吐不下詳陽明病勢初發也病在經若吐若下後結心胸而煩者是為虛煩故不吐不下心煩者明為結胃之候以

辟虛煩也太陽病以自極吐下論結胃之候陽明病以不吐不下論結胃之候詳自內動者與自外轉而至者病勢不同也而調胃承氣湯証俄然結爲病勢易而急故不曰主之曰可與與者俟後証之辭謂其易解詳見于方意握機傳

右一章舉陽明病勢易而急者以詳調胃承氣湯証之病位所在及方意也

傷寒吐後腹脹滿者與調胃承氣湯

不経發汗而吐之者明傷寒暴急之勢也腹脹滿有燥屎之候與腹滿不同爲所以與小承氣湯証

異也。然腹脹。加之以滿者。經已解未發越之候故脹滿雖有發勢不煩亦不發熱吐後俄然結之候病勢易而急者。亦可實而驗矣。

右一章舉傷寒轉入陽明者以對前章陽明病勢反復調胃承氣湯証而明其病位所在及方意也。舊本此章出於陽明篇之終。達竊按蓋非本論叙次之例故今質諸古訓列諸陽明病調胃承氣湯証論病勢以明異同已上三章合為始小節總論陽明病勢也

陽明病脈遲。雖汗出不惡寒者。其身必重短氣腹滿

而喘有潮熱者此外欲解可攻裏也手足濈然而汗出者此大便已鞕也大承氣湯主之若汗多微發熱惡寒者外未解也其熱不潮未可與承氣湯若腹大滿不通者可與小承氣湯微和胃氣勿令大泄下

不經太陽暨少陽徑自内動陽勢較然物不能掩爲莫爲所嫌疑於陰狀謂之陽明病故陽明病之初發法爲無外証也有外証而不與爲若雖有與爲不須服藥而當自解所以異於二陽也脉遲結而無發勢之候所以然者熱欝而未成結也若結已成則復發彌發彌結脉乃爲微外自解之候此

陽明病勢之正候也雖汗出不惡寒非表位之汗亦無發勢之候其身必重短氣腹滿經仍未解結仍未成而無發勢之候與病勢伏而身重者及病勢陷後而沈重者不同潮熱者復發之勢而已結胃之候乃知經欲解也然腹滿尚在則未至燥屎當攻裏之候也而胃為内經為裏古之訓也故云當攻裏者詳為小承氣湯証也小承氣湯方属内而兼裏雖結胃經仍不解未成鞕故知腹滿而不知燥屎此小承氣湯之方意也故腹滿者先與小承氣湯為法雖不與小承氣湯經自解手足濈然

而汗出者。大便已鞕也。手足為裏位。屬經。故手足汗出者。經已解之候。經已解。則病勢專結於內。於是大承氣湯証具焉。故云主之也。若者。本應無而時有之之辭。故云若者。設而論之也。曰汗多微發熱惡寒者。對雖汗出不惡寒。詳發熱惡寒之為表証也。而汗多微發熱惡寒者。雖桂枝証。不須服藥而當自解。所以為陽明病也。外雖已解。其熱不潮者。經仍未解。結仍未成之候。承氣不中與之也。夫陽明病法為無外証。而今有桂枝証者。不須服藥而當自解也。若不欲自解者。傷寒本經太陽轉為陽明証者。有若証為。故陽明病非必有桂枝証之謂。暫設而論之。以的實大承氣湯之方意也。詳見于方意握機傳。其熱不潮。若腹大滿不通者。可先與小承氣湯。與者。俟後証之辨。所以然者。有與小承氣湯而内外俱解者。亦有與小承氣湯而專結胃者。故與以俟後証。治法應變之微。其機不可先傳者也。而不小承氣湯為主。故曰微和胃氣。勿令大泄下。

右一章錯舉桂枝証。及小承氣湯証。論大承氣湯之方意。遂詳其病位所在。旁示治法應變之微也。

傷寒。若吐若下後不解。不大便五六日上至十餘日。日晡所發潮熱。不惡寒。獨語如見鬼狀。若劇者。發則不識人。循衣摸牀。惕而不安。微喘直視。脈弦者生。濇者死。微者但發熱讝語者。大承氣湯主之。

傷寒之暴急。不必經太陽。故不舉發汗。徑云吐下。吐下後不解。不大便五六日上至十餘日者。率概輕重有三等。論其病勢劇警。治法失其期也。其所舉之証。候皆燥屎之應。而大承氣湯証無與二者。故曰主之。舉脈候三爲詳。傷寒之勢劇也。弦者。劇也。濇者。剥之窮也。微者。易也。夫傷寒之暴急。與陽明太陽。異其治法。於太陽陽明。則須其証全具。而後處其方法也。若反此法者。是為誤。但傷寒則不然。其所在已定。病位之幾已見。則不須其証具。而處方。古之訓也。猶傷寒五六日。嘔而發熱者。是為柴胡湯証具也。而柴胡湯証具者。猶太陽病轉入少陽。脇下鞕滿。乾嘔不能食。往来寒熱。尚未吐下。脈沈緊者是也。若夫傷寒之暴急。而至承氣湯証。若須其証具。則殆至弗可救矣。猶循衣摸牀。惕而不安。直視微喘。危篤殊甚。治法。傷寒為難者。為是也故於傷寒則不大便五六日脈微但發熱讝語則大承氣湯主之也若至七八九日日晡所發潮熱不惡寒獨語如見鬼狀者治已失其期爲然尚可救爲若至十餘日劇者至發潮熱則不識人循衣摸牀惕而不安直視微喘然其脈弦者尚或可救爲至其脈濇者終弗可救矣此治法失其期之過也豈可弗恐懼戒愼乎哉循衣摸牀見鬼狀之窮故惕而不安也而陽明病脈遲雖汗出不惡寒者其身必重短氣腹滿而喘有潮熱者此外欲解可攻裏也而尚不曰大承氣湯主之手足濈然而

汗出者大便已鞕也於是乎曰大承氣湯主之又
曰其熱不潮未可與承氣湯故於陽明病則須其
証具而處其方治法與傷寒異者可實而驗矣
右一章對諸前章陽明病擧大承氣湯証之無
岐途者以論病勢之緩急其治法異也已上二
章為中小節示異同及復大承氣湯証詳其方
意也

陽明病其人多汗以津液外出胃中燥大便必鞕鞕
則譫語小承氣湯主之若一服譫語止更莫復服
多汗當作汗多蓋模寫之誤也多汗者須服藥之

辯。汗多者不須服藥之辯。故多汗。其人經表位者也。陽明病法為無表証，則汗多為當。汗多經仍不解之候。故雖大便鞕及讝語，不至於潮熱，病勢仍親於外而疎於內，所以為小承氣湯証也。以津液外出胃中燥者，詳其病勢輕易也。故曰若一服讝語止，更莫復服，重明病勢之疎於內也。小承氣湯証，經先發而後結，若經不發者腹滿，大承氣湯証，結先成而後經發，若經不發者，亦無腹滿。大小方意之所以異也。

右一章舉輕易之嫌於劇者，以詳小承氣湯之

方意以明同異也。

陽明病。譫語發潮熱。脈滑而疾者。小承氣湯主之。因與小承氣湯一升。腹中轉失氣者。更服一升。若不轉失氣。勿更與之。明日不大便。脈反微澁者。裏虛也。為難治。不可更與承氣湯也。

腹中上。蓋脫湯入之二字。當補。爲脈滑結而動之候。疾者。病勢馳外之候。與數不同。故脈滑而疾者經仍不解。病勢仍馳外。雖則結胃。非成燥屎之勢是以其証雖譫語發潮熱。是為小承氣湯証也。而陽明病。譫語發潮熱。脈滑而疾者有二途。爲一則病勢已及胃者一則病勢仍未及胃者故徵諸服湯後以明其二途也服小承氣湯轉失氣者以病勢已及胃腹滿小承氣湯之所能治也若不轉失氣者病勢仍未及胃病勢不及胃者腹不滿縱滿按之則濡虛故也非小承氣湯之所與焉曰腹滿者轉失氣腹不滿者不轉失氣然則何以其証腹滿不示其的實乎曰否病勢及胃者之與不及胃者其証若俱腹滿則不能辨其的實是以更設其辭徵其腹滿於服湯後示其的實豈可不謂深切著明乎哉學者由此訓能察其証候可得而知其

的實。已知其的實。則不須與藥。可得先辨其証也。明日不大便以下二十四字。蓋後人之解。不可與本文混矣。說詳於外傳。

右一章舉屬實而有岐途者。重明小承氣湯之方意也。已上二章為終小節。及復小承氣湯証。詳其病位所在及方意。以明與同始中終小節合七章。是為前大節。總論三承氣湯之病位所在及方意。以詳陽明之正証也。

陽明病。潮熱大便微鞕者。可與大承氣湯不鞕者不與之。

潮熱大便微鞕者結胃而成燥屎之勢已具宜大承氣湯也然未成燥屎故不云主之云可與也若不大便六七日而燥屎之應未見者由鼎足法論得其所在古之訓也故若不大便六七日恐有燥屎欲知之法以下一百有二字蓋後人附會之論妄誕殊甚刪以為家傳説詳於外傳

右一章舉大承氣湯證未成燥屎而類於小承氣湯證者以詳同異也大承氣湯以燥屎為方意故未成燥屎而成燥屎之勢已具則是為大承氣湯證也夫陽明病不經太陽徑動於內位

與經太陽轉入內位者病勢自殊故更設陽明篇而論之也而陽明病勢具於大承氣湯証故陽明篇主大承氣湯証論之它皆附諸大承氣湯証敷行之以極陽明之變化也故以下多復大承氣湯証論其方意以詳異同也

陽明病讝語有潮熱反不能食者胃中必有燥屎五六枚也若能食者但鞕爾宜大承氣湯主之

陽明病讝語有潮熱者能食為常故不能食者曰反陽明病勢之緩所以與傷寒異也陽明病讝語潮熱有燥屎者大承氣湯主之陽明病讝語有潮

熱大便但鞕者亦宜大承氣湯故曰宜主之宜者權時之辭有燥屎五六枚五六枚者對不能食言之曰大便鞕讝語者小承氣湯主之又曰讝語發潮熱脈滑而疾者小承氣湯主之此章讝語有潮熱大便但鞕者宜大承氣湯則猶無大小承氣湯之辨何以知其的實也曰大便鞕讝語小承氣湯主之者其證無潮熱而其熱不潮者未成燥屎之候非大承氣湯證也又讝語發潮熱小承氣湯主之者其脈滑而疾脈滑而疾者非成燥屎之候故雖有潮熱小承氣湯主之也讝語潮熱大便但鞕

是為大承氣湯証者大便已成鞕而有潮熱雖未成燥屎成燥屎之勢已具所以宜大承氣湯也故必云宜而不云主之以未成燥屎也於是大小承氣湯証及其方意可實而驗焉豈云無辨乎

右一章舉燥屎之正應也

陽明病下之心中懊憹而煩胃中有燥屎者可攻腹微滿初頭鞕後必溏不可攻之若有燥屎者宜大承氣湯

下後心中懊憹而煩者有二途焉一曰虛二曰實實謂有燥屎大承氣湯証是也虛謂結心胸而不

關於胃梔子豉湯証是也故曰胃中有燥屎者可攻對梔子豉湯証言之也曰心中懊憹而煩腹微滿者亦有二途焉一則小承氣湯証一則大承氣湯証凡腹滿者病勢及於胃而経仍未解未至成燥屎先與小承氣湯法也然有燥屎之候的然而見則雖腹微滿宜大承氣湯也若腹微滿無燥屎者而與大承氣湯則初頭鞕後必溏故曰不可攻之詳當先與小承氣湯也宜者權時之辭

右一章敷衍燥屎之候有岐途者遂舉大承氣湯証之有嫌於梔子豉湯及小承氣湯証者以

詳大承氣湯之方意。旁示梔子豉湯及小承氣湯之方意也

太下後六七日不大便煩不解腹滿痛者。此有燥屎也。宜大承氣湯。

不曰陽明病者。以轉証也。凡腹滿者。病勢及於胃而経未解之候。法為不能結胃煩而痛者結實之候。乃知雖腹滿煩而痛者。有燥屎也。故對前章腹微滿小承氣湯証。明腹滿兼痛者有燥屎也。所以然者。以下十字。蓋後人之註。刪以為家傳。宜者對腹滿言之。

右一章對前章腹微滿者不可攻之舉或有腹

　滿有燥屎者重敷衍燥屎之候也

病人小便不利大便乍難乍易時有微熱喘冒不能

臥者有燥屎也宜大承氣湯

　小便不利而有燥屎者傷寒若太陽陽明吐下後

之病勢若小便不利因痼瘕不與於陽明病勢者

故不稱陽明病但曰病人也小便不利在經之候

經外也外未解者不能結胃若外未解而結胃者

陽明病勢而自內動者法當外自解外解則小便

無變故結胃而小便不利者若病勢暴急之變若

因痼瘕不與於陽明病勢者。又猶抵當湯証。太陽病六七日。表証仍在者。故權時曰宜大便難時有微熱。喘冒不能臥者。有燥屎之候已成燥屎則雖有外証不與爲是為大承氣湯之方意大便乍易小便不利之變不與於燥屎者也。

右一章舉陽明之變証而敷衍燥屎之候也。

傷寒六七日。目中不了了。睛不和。無表裏証。大便難身微熱者。此為實也。急下之宜大承氣湯

目中不了了。睛不和者有二途。爲一則實也。一則虛也。無表裏証。大便難。身微熱者。此為實。其証仍

關於表裏而大便無變者此為虛也實者急下之虛者各隨証而治之表裏對諸内則為外故曰無表裏証詳内實也大便難實之侯身微熱是其應實者對虛之辭乃知目中不了了睛不和者有二途也急下之以其有燥屎也宜者權時之辭又對虛者言之

右一章亦敷衍燥屎之侯也舊本此章以下舉大承氣湯証四章終一章後人之説不須辨而明矣自餘三章者本論或雜病論中其証已具蓋後人類聚燥屎之証者猶似贅疣故今并删

四章。且由古訓正叙次。以為家傳也。

三陽合病。腹滿身重。難以轉側。口不仁而面垢。讝語遺尿。發汗則讝語。下之則額上生汗。手足逆冷。若自汗出者。白虎湯主之。

病之所在一途。而其勢波及於它位者。是謂合病。病勢極緩者。或病勢極劇者。皆能為合病也。夫病勢極劇者。或伏。伏則反緩。所以為合病也。腹滿身重難以轉側者。病勢及胃外。不解之候。而外無熱候伏也。口不仁。口燥渴之變。亦伏之候。面垢鬱結心胸之候。讝語胃氣不和之候。而胃氣不和者有虛實由咼足法論得其所在古之訓也遺尿與自汗出同例亦伏之候由是觀之病位在心胸而及胃外仍不解者也然以病勢伏尚不能無嫌疑爲故設發汗及下而論之以詳其所在也發汗則讝語胃氣益不和乃知所在非太陽下之則額上生汗手足逆冷益薄心胸乃知所在非陽明經爲所在少陽為病位以伏之故病勢波及於二陽也自汗詳表解也表不解者不可與白虎湯法也若者渉於両岐之辭或表仍未解也凡伏者無發動之勢故伏証之自汗與陽明証之汗多其歸不同

亦不可不辨而詳矣夫陽明証之汗多以勢結胃發勢太劇水氣不能伏藏爲彌結彌發此外欲解之候夫伏証之汗無發越之勢雖汗出水仍不得去是以或腹滿或不渴或身重或口不仁或遺尿皆水氣輻奏而不發越之所致也此其與陽明証異者瞭然可見矣又陽明証結而蒸蒸而不渴以病位下在胃故也乃知渴者病位上在心胸也

右一章舉少陽爲所在及於陽明暨太陽者論病勢伏以詳白虎湯証之病位所在及方意也

次併病之章蓋後人附會之説令刪以為家傳

說見於外傳。

陽明病脈浮而緊咽燥口苦腹滿而喘發熱汗出不惡寒反惡熱身重若發汗則燥心憒憒反讝語若加燒鍼必怵惕煩燥不得眠若下之則胃中空虛客氣動膈心中懊憹舌上胎者梔子豉湯主之若渴欲飲水口乾舌燥者白虎加人參湯主之若脈浮發熱渴欲飲水小便不利者猪苓湯主之若脈浮而遲表熱裏寒下利清穀者四逆湯主之

舊本此章分為四章今合諸一章以為家傳脈浮而遲上蓋脫若字四逆湯當作通脈四逆湯脈浮

而緊。猶云陽浮而陰緊也。陽浮而陰緊。似太陽病脈。而非也。固非陽明病脈。夫陽明病。以結為情。太陽病。以發動為情。脈狀亦各從其情。自然之符也。陽浮者。發揚之候。發熱汗出。應於陽浮。然不惡寒。反惡熱。則非陽浮之應。陰緊者。在裏而發。發而難發之候。咽燥口苦。結心胸。心下之候。應於陰緊。腹滿而喘。發熱汗出。不惡寒。反惡熱。病勢及胃之候。身重。經仍未解。病勢鬱而不發之候。又應於陰緊。夫脈者。証之源。以脈為本候。然至索其所在。觀其脈証。論而得之。古之訓也。乃觀諸脈。則陽浮而陰緊在少陽而動於太陽病勢無為及胃之候乃觀諸証則腹滿而喘發熱汗出不惡寒反惡熱病勢已及胃之候所以稱陽明病也其所以然者以陽明病勢專陽浮陰緊之所在雖其幾見未得專動故陽明病勢不關於脉脉亦不關於陽明病勢是以設發汗若燒鍼而論之的實其陽明証主而裏証未可為主脉與陽明病勢不相關也發汗對陽浮心憒々反譫語益結燥之候燒鍼對陰緊怵惕煩躁不得眠因强發而動經之候乃陽明証為主者的然可見也故對腹滿而喘發熱汗出不惡寒

及惡熱下之。於是陽明證得解。而陽浮陰緊之所在著然。陽浮而陰緊者。下後其所在有四途爲一則梔子豉湯證。一則白虎湯證。一則猪苓湯證。一則四逆湯證是也。胃中空虛。謂病不關於胃也。客氣。對胃言之。客猶云外也。謂外證因下動膈。終不入胃也。舌上胎者。在經之候。分於胃中有燥屎而心中懊憹也。以下辨渴證二途。及有轉於陰位也。一則口燥渴者。一則渴小便不利者。此渴證有二途之辨也。而脈浮發熱渴欲飲水小便不利者猶與五苓散證無辨也。然論之病勢。則可得自辨其異也。曰五苓散証。太陽病發汗後之病勢。發越而結。故病渴不病小便不利。猪苓湯証。陽明病下後之病勢。欝而結。故雖脈浮發熱。病小便不利。不病渴。是以五苓散証病勢上行。為主。猪苓湯証下行。為主。學者必論之病勢。自知其辨。四逆湯証。脈浮而遲。陽浮者表熱之候。陰遲者裏寒之候。由是素問難經誤遲為寒之候。遲者法為欝而結之候。曰太陽篇結胸之條云。動數變遲。或陽明病承氣湯証曰。脈遲。此皆熱欝結為本候。然或兼沈。或兼浮於是或有寒。或有不由寒熱。亦不可不辨而詳矣。

曰少陰篇。通脈四逆湯証。外熱。對身反不惡寒。言其熱嫌於陽明証。發熱不惡寒。故必云外熱。詳其不關於内也。此章表熱。對陽浮言之。表裏内外。分其辭。皆古之訓也。

右一章。舉下後有四逆之變者。以詳其病位所在。及方意各異。以明治法之機。不可先傳也。以上二章。舉三陽合病及似合病。而非者。詳同異以傳治法握機之要妙也。

陽明病。下之。其外有熱。手足溫。不結胸。心中懊憹。饑不能食。但頭汗出者。梔子豉湯主之。

不陽明病先自内動爲故下後轉外証為順梔子豉湯証經為所在最淺率與瓜蔕散証所在相近但其病勢不同也外者對内之辭謂内無熱也故必曰外一則辟内實也一則對厥陰瓜蔕散証病勢蟄伏其外無熱也手足温又對瓜蔕散証手足厥冷以辟瓜蔕散証也不結胸謂心下澳辟於結胸証有心中懊憹也饑者不闗於胃之侯詳其虚也不能食結心胸之侯頭汗鬱心胸而上行之侯故太陽篇發汗吐下後之梔子豉湯証無頭汗以病勢不鬱也大陷胸湯茵蔯蒿湯証亦皆鬱而上行

則頭汗出也。柴胡桂枝乾薑湯證。已發汗。則無欝狀。以復下之故。欝而上行也。小便不利。是欝之徴故梔子豉湯證之頭汗。欝而上行者。可例而知矣。而心中懊憹。饑不能食者。其岐途三焉。一則與瓜蔕散證。心中滿而煩。饑不能食者相類。故曰其外有熱。曰手足溫。以分諸瓜蔕散證也。瓜蔕散證。以欝結劇。病勢上衝。手足厥冷也。梔子豉湯證雖劇無上衝之勢。竟不至手足厥冷。故必曰手足溫。詳其異也。一則下後心中懊憹者。有結胸證。故曰不結胸。詳心下濡。分諸大陷胸湯證也。一則陽明病下後心中懊憹而有熱者似承氣湯証有燥屎者故曰其外有熱又曰饑以詳其虛分諸大承氣湯証也而大陷胸湯証梔子豉湯証其所在則相近而異淺深大承氣湯証梔子豉湯証其所在大異則固勿論於淺深然大陷胸湯証大承氣湯証鞕則心中懊憹於是乎或相類於梔子豉湯証故論梔子豉湯必辨其歧途若此詳見于方意握機傳

右一章舉陽明病下後之轉化詳梔子豉湯之方意以對前章梔子豉湯論異同也以上三章為首節總示治法轉化之微也

陽明病發熱汗出。此為熱越。不能發黃也。但頭汗出。身無汗。劑頸而還。小便不利。渴引水漿者。此為瘀熱在裏。身必發黃。茵蔯蒿湯主之。

陽明病汗出而結胃為法。若無汗者。不能熱越而欝於經。所以發黃也。故發黃者。率是為熱欝之候。熱欝者。結心胸。是其法也。頭汗。熱欝結心胸而上行之候。大陷胸湯大柴胡湯梔子豉湯柴胡桂枝乾薑湯證。皆有頭汗。病勢之劇易雖不同。頭汗之所由。可例而知也。劑分也。謂分頸上頸下也。還旋也。謂其汗旋頸也。頸上之汗旋頸而頸下無汗。謂之劑頸而還。小便不利。外未解。而熱欝之候。雖胃氣不和。所以不成實也。渴引水漿。不問清濁冷熱。與欲飲水者不同焉。瘀熱在裏之候。是為瘀熱在裏。詳其所以不得發越也。瘀者。凝滯之謂。凡熱之瘀滯者。率瘀滯於血脉。故瘀熱屬血証也。詳見千方意握機傳。

右一章舉陽明之變。屬血証者。以詳茵蔯蒿湯証之病位所在及方意也。

傷寒七八日。身黃如橘子色。小便不利。腹微滿者。茵蔯蒿湯主之。

七八日。為結胃之常期。而傷寒之劇。以熱欝結心胸之急。不能結胃焉。故七八日而身黃者。乃知傷寒之勢暴急也。身黃熱欝之候。如橘子色。有發勢之候。病勢劇且少。是以不至於渴。小便不利。欝於経之候。腹微滿。而欝於経。病勢及胃而不能結之候。

右一章。舉傷寒之勢劇者。以對陽明病勢之緩者。重詳茵蔯蒿湯証之病位所在及方意也。前章舉病勢已老。後章舉病勢仍少。以詳異同也。

傷寒。身黃發熱者。梔子蘗皮湯主之。

發熱。以無惡風惡寒。屬陽明也。身黃。熱鬱之候。發熱有發勢。雖則有發勢。汗不出則鬱。所以身黃也而茵蔯蒿湯証。病位及於腹。梔子蘗皮湯証。不及於腹。其所在淺深之等。乃可知矣。詳見于方意握機傳

右一章舉茵蔯蒿湯証之類証。以詳梔子蘗皮湯証之病位所在及方意也已上三章。為始小節。明與同同異也

病人無表裏証。發熱七八日。雖脈浮數者。可下之。假令已下。脈數不解。合熱則消穀善饑。至六七日。不大

便者有瘀血宜抵當湯若脈數不解而下不止必協熱而便膿血也

無表裏証而發熱者是為內實故無表裏証發熱七八日者雖脈浮數可下之詳陽明病勢也假令以下論陽明病勢已下之後脈數不解者以辨合熱暨協熱也合熱謂熱因下與瘀熱合也消穀善饑者有血之候所謂陽明証而非陽明病故曰病人若以下詳協熱之候協和也謂有裏寒

右一章舉陽明病勢已後轉合熱若協熱者詳抵當湯証之所在以對茵蔯蒿湯証瘀熱在裏

敷衍陽明証遂舉協熱之候以辨合熱也

陽明証其人喜忘者必有畜血屎雖鞕大便反易其色必黑宜抵當湯下之

抵當湯証於陽明則候在大便於太陽則候在小便此以其病勢不同証候之變若此異同同異之所由可例而知矣喜忘狂之變有血之候所以然者以下十三字蓋後人之註文混入於本文者也當刪去屎雖鞕大便反易者不入府之候其色必黑者病勢波及之候是為抵當湯証詳見千古意握機傳

右一章舉抵當湯証之變以數衍陽明証已上二章為終小節以詳異同始終小節合五章是為中大節總論瘀熱為陽明証也

陽明病發潮熱大便溏小便自可胸脇滿不去者小柴胡湯主之

陽明病先自內動故發潮熱為主証也胸脇滿是為少陽之病位夫少陽者居於二陽之中位是以或半相動於表裏或半相動於裏與內故得太陽病勢則半動於表位而不關於內得陽明病勢則半動於內位而不關於表於是得太陽病勢則往

来寒熱或發熱或惡風頸項強或脈兼浮若得陽明病勢則發潮熱或不大便以其在中位也而大便濇者病勢激之所致而非胸脇滿之應凡胸脇滿者病位在少陽法當半動於表今以得陽明病勢勢專於内不得動於表是以病勢激而下行然病勢緩易其力不足以結胃所以大便濇也若病勢將結胃經自解者應小便數而小便無變若病勢將結胃大便濇者亦經自解之候雖有胸脇滿在法當自去也而病勢緩易其力不足以結胃所以不去也然得陽明病勢勢專於内則所以發潮

熱也。由是觀之。大便溏。激而下行之勢。而非經自解之候。故陽明病胃為病位。而所在不與者。謂此類也。

右一章。舉陽明病。少陽為所在者。論陽明病勢遂因小柴胡湯証之變。又明其所在及方意也。

陽明病。脇下鞕滿。不大便而嘔。舌上白胎者。可與小柴胡湯。上焦得通。津液得下。胃氣因和。身濈然而汗出解也。食穀欲嘔者。屬陽明也。呉茱萸湯主之。得湯反劇者。屬上焦也。

脇下鞕滿。病位深於胸脇。滿已成鞕。病勢專於內。

而不動於外之候。不大便。此其應也。然滿已成鞭。不得經自解。雖則不大便。雖則陽明病勢。所以不得内實也。所以與傷寒異也。夫發潮熱。不大便者。内實之候。雖不大便。不發潮熱者。病勢及胃。而不闗於胃之候。舌上白胎。此其應也。身濈然而汗出者。内外俱解之候。食穀欲嘔者。病位在胃。故曰属陽明。對小柴胡湯証。病位在胸脇而嘔者。以詳其所在異也。故曰。得湯反劇者。属上焦。詳見于方意握機傳。舊本。呉茱萸湯証。盖失其叙次。故今由古訓。附諸小柴胡湯証。為一章。詳其同異。以為家傳。

右一章亦舉陽明病少陽為所在者。論陽明病
勢遂並舉小柴胡湯証之變及呉茱萸湯証相
發明。各方意異。已上二章。詳異同同異也。
陽明病自汗出。若發汗。小便自利者。此為津液内竭
雖硬。不可攻之。當須自欲大便。宜蜜煎導而通之。若
土瓜根及與大猪膽汁。皆可為導。
陽明病法為無發汗。而曰若發汗。詳不特陽明病
有斯証。故云若也。大便硬。非病勢使之硬。津液枯
竭之所致。故用導法。和之乃愈。
右一章舉大便硬之不可攻者。對前章不大便

不可攻者。觸類而附之。以詳蜜煎若土瓜根及大猪膽汁之功也。已上三章。舉少陽為所在而得陽明病勢者。以詳異同同異。遂附屬陽明者。以為尾節。首中尾三節合九十有一章。是為終段。總敷行陽明証。以極陽明之變也。

傷寒論古訓傳卷之四

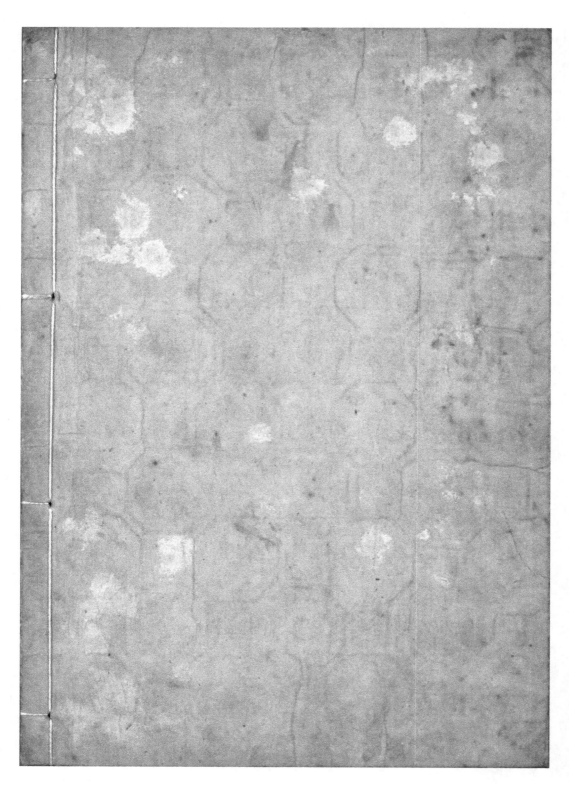

傷寒論古訓傳
少陽第三
太陰第四
少陰第五
厥陰第六

137

傷寒論古訓傳卷之五

日本 東奥 及川達叔山父著
門人 山城 藤田以直方光
友人 東都 鐸木壽君茂 校正

少陽第三

少讀猶少壯之少也故發動上行之勢不若太陽之太甚爲而其淺不與於表位其深不及於内位居於二陽之中位以半表半裏爲病位夫皮毛孫絡爲表經爲裏府爲内故經爲所在半相動於表裏者是為少陽病而少陽証率論諸太陽篇故建

少陽篇但欲詳其病位病勢以使無嫌於其証候也少陽篇凡二章是為首節合之太陰篇為一段

少陽篇本當列之太陽篇之下陽明篇之上而今退在陽明之下者合少陽與太陰為一篇之法

少陽之為病口苦咽乾目眩也

少陽証已論於太陽中不特稱少陽病者何也曰凡少陽証無不經太陽而特病者故據太陽及傷寒中風以論其所在也少陽以其中位故若不經太陽則為陽明証陽明病所以有柴胡湯証也故建少陽篇者但舉結心胸脇之應以詳其病位病

勢以分諸太陽陽明也口苦咽乾結心胸之侯目眩薄胸脇心下之侯故口苦咽乾目眩其淺不與於表位其深不及於内位是以胸脇為病位者瞭然可見矣而病位在胸脇者半相動於表裏之侯

右一章舉其病應論少陽之病位及病勢以為少陽之總目章而所在不與焉

本太陽病不解轉入少陽者脇下鞕滿乾嘔不能食往来寒熱尚未吐下脈沈緊者與小柴胡湯

本太陽病不解明無不經太陽而少陽特病者也脇下鞕滿是為少陽之正位故不舉胸脇滿之証

必舉脇下鞕滿之証欲正其病位也往来寒熱半相動於表裏之候而脇下鞕滿者其淺不與於表位其深不及於内位法當口苦咽乾目眩故雖無此証而有之之例與陽明病脇下鞕滿者病勢不同不可混矣而不唯小柴胡湯証為少陽令特舉小柴胡湯証者以其的實最易見也脉沈不與於表位之候緊發動而難發之候故脉沈緊者法為在經尚未吐下對脉沈緊言之若吐下後脉沈緊者水氣之變不必小柴胡湯証故必由於未吐下之証以明病位所在也

右一章概少陽病勢及其病位而舉之至其轉化無窮宜於太陽篇而索之

太陰第四

太音泰猶太陽之太謂其純也夫分病類者在詳其証候故陰陽者非斥病之謂苟託陰陽分病位病狀以詳証候也不問寒熱及虛實凡為陷沒下行之狀者為陰類其中純陰者是為太陰太陰篇凡三章合之少陽篇為後節總論太陰病狀及病位也首後節合凡五章是為首小段太陰篇合之少陽為一段者示陰者陽之裏而不得特立也

太陰之為病腹滿而吐食不下自利益甚時腹自痛若下之則必胸下結鞕

病勢陷沒下行病位在腹者為太陰病病位與陽明相表裏爲而所在不與也若下之以下設而論之以詳太陰之病情也若者本應無而時有之之辭下之胸下結鞕者拘攣之窮也與下之心下鞕滿者不同爲故腹滿而吐食不下自利益甚時腹自痛者皆腹拘攣之變而觀之拘攣則太陰之無寒熱其陷沒下行之狀最純者可實而驗爲

右一章詳太陰之病位病狀以為太陰病之總

目章而所在不與爲

太陰病脉浮者可發汗宜桂枝湯

凡陰類之病以自裏動故法爲無表証而有桂枝証猶少陰病而有麻黄附子細辛湯麻黄甘草附子湯証也今雖有桂枝証得太陰病勢則無發動之勢也有發動之勢者而得陷沒之勢則腹滿可知爲故但云太陰病不擧其証也脉浮發動之候非太陰陷沒之候腹滿非實其它無動經之裏候亦無闗皮毛之表証乃桂枝湯証可知也而與陽明病桂枝証不關於陽明病勢者不同爲所謂聞

病之陰論得其陽者是也故陰陽者非斥其病之謂苟託陰陽分病位論其狀勢以索其所在此其所在不關於陰陽者彰々乎明矣宜者權時之辭謂處變也

右一章舉太陰病之變以詳治法權時之徴也次自利不渴之章其論無可以為規矩者蓋後人附會之説故删以為家傳

本太陽病醫反下之因爾腹滿時痛者屬太陰也桂枝加芍藥湯主之若大實痛者桂枝加大黃湯主之

本太陽病醫反下之外証未解者而下之故曰醫

反明其逆也而下後病勢屬傷寒非太陰病勢故設太陽病下後論之者詳桂枝加芍藥湯証之病位所在及方意遂由於桂枝加芍藥湯証明太陰之病位及陷沒之狀故曰屬太陰而桂枝加芍藥湯証半表半裏為所在其証外無寒熱腹為病位故腹滿時痛而已時痛者拘攣之候實痛者關於胃之候大實痛者桂枝加大黃湯証則陰陽之名不由於寒熱及虛實者可益徵焉大實痛上蓋脫若字當補焉

右一章舉太陽之轉証以詳太陰之病位病狀

遂明桂枝加芍藥湯証及桂枝加大黃湯証之病位所在及方意詳見于方意握機傳已上少陽太陰以本太陽病為例合為一段之法故少陽太陰合凡五章是為首小段

少陰第五

少讀猶少陽之少也故病狀陥没下行結而兼發勢者是為少陰謂陰狀而兼發其陰不若太陰之純也少陰體為病位與太陽相表裏為其若心胸咽中心下及腹則病勢之所波及而非其病位猶太陽身為病位而病勢或波及於胸背也其若少

陰病。大承氣湯証。則病勢少陰。而所在不與也。少陰篇凡二十有三章。分為前後二小段。前小段凡十二章。又分為二大節。始大節凡六章。又分為二小節。始小節三章。首章舉結而陷沒下行者。詳陰狀。以為少陰病之總目章。次二章舉體為所在兼皮毛者。詳陰之所以稱少也。已上三章為始小節總論少陰之狀勢。終小節三章。舉或在體而動心中者。或在體而動表者。或在體而動於體者。詳少陰之正候。二小節凡六章。是為始大節。總論少陰之正與變也。終大節凡六章。又分為二小節。始小節三章。舉下利不經外候之。與下利經外候而入裏者。詳異同同異。終小節三章。舉病勢及心胸結而下利發動者。詳同異。二小節凡六章。是為終大節。總論少陰下行之勢兼發動也。始終大節合十二章。是為前小段。總論少陰病勢而病位在其中。後小段凡十一章。又分為二大節。前大節六章。又分為二小節。始小節三章。舉少陰陷沒之勢及於咽暨咽中者。詳同異。終小節三章。舉下利証而有發勢者之。與下利証而陷沒者。詳同異。二小節凡六章。是為前大節。總論陷沒下行之為少陰也。後大節五章。又分為二小節。始小節三章。舉陷沒之勢而内實者。詳異同終小節二章。示少陰病勢之正候在四逆湯証。遂辯其証有歧途也。二小節九五章。是為後大節。重論陰稱不由寒虚熱實。以明異同同異。二大節九十一章。是為後小段前後一段合二十有三章。是為少陰篇

少陰之為病。脈微細。但欲寐也。

脈微細者。結而無發勢之候。但欲寐者。陷沒下行之候。夫少陰者。以其位與太陽相容。適或有兼發勢者。所以得少之名也。然發勢本非陰之情。故但

擧其結而陥没下行之状。詳其所以為陰也。

右一章擧其脉及病状。以為少陰病之総目章。明少陰兼發動者。非陰之義也

少陰病。始得之。反發熱。脉沈者。麻黄附子細辛湯主之。

少陰。體為病位。裏先動。漸達於表。為正。故其初發法。為無表証。而少陰以其位密邇於太陽。少陰病或有兼皮毛者。而非中風及傷寒之勢。夫中風以剽發為情。故雖陽類最多於太陽。鮮於少陽陽明無有之。而况於陰類。曷得有之哉。傷寒暴急而難

發薄裏而或結或伏非少陰病之情是以少陰無有中風及傷寒之勢而少陰病勢有兼皮毛而發者則不可為陰又固非太陽表証之勢則無言之可以錯爲故設得之之二字易諸中風之勢以詳兼皮毛有發狀分諸少陰病自裏動也以下做之少陰病始得之體為所在兼皮毛兼皮毛而發熱者應惡寒而不惡寒其不惡寒以心下有水氣無發勢之候發熱陽勢也非陷沒之狀故發熱曰反脈沈病勢陷沒之候陰之適也故體為所在兼皮毛心下有水氣病勢陷沒而兼發狀者是為麻黃

附子細辛湯証。詳見于方意握機傳。

右一章舉少陰之兼表候者。以詳麻黄附子細辛湯証之病位所在及方意也。

少陰病。得之二三日。麻黄附子甘草湯微發汗。以二三日無裏証。故微發汗也。

少陰病。雖有表候。不可以中風傷寒名狀。故設得之之二字。明易於中風之義。又加之日數。示易於傷寒之義也。故於麻黄附子細辛湯則曰主之。詳病勢類於中風。其証轉化鮮也。於麻黄附子甘草湯。則不曰主及與但曰微發汗。先發汗而視後証若何之辭詳其証轉化不可測病勢類於傷寒也與太陽篇傷寒大青龍湯發之同例爲此其設日數易於傷寒之義可實而驗矣又但舉日數省其証者以二三日屬表位其証嫌於太陽之勢故必省其証以辟嫌疑以下舉其發汗詳証候而不言有表証必言無裏証亦辟諸太陽証也夫少陰與太陽病位相表裏故其証雖有關於表繫在體爲雖則惡寒雖則發熱不得謂之表証故必曰無裏証以詳發發惡寒之非陽類也由是觀之體爲所在第皮毛而發熱惡寒者是爲麻黃附子甘草湯

正吉按下發字疑熱之字之誤歟

若何之辯詳其證轉化不可測病勢類於傷寒也與太陽篇傷寒大青龍湯發之同例爲此其設曰數易於傷寒之義可實而驗矣又但舉日數省其證者以二三日屬表位其證嫌於太陽之勢故必省其證以辟嫌疑以下舉其發汗詳證候而不言有表證必言無裏證亦辟諸太陽證也夫少陰與太陽病位相表裏故其證雖有關於表繫在體爲雖則惡寒雖則發熱不得謂之表證故必曰無裏證以詳發發惡寒之非陽類也由是觀之體爲所在第皮毛而發熱惡寒者是爲麻黃附子甘草湯

（注：三七四葉展示三七三葉的夾紙信息，特此加葉。）

証也詳見于方意握機傳

右一章亦舉少陰之自表動漸及裏者以詳麻黄附子甘草湯証之病位所在及方意對前章明同異已上三章是為始小節總論少陰之所以有變証也

少陰病得之二三日以上心中煩不得卧黄連阿膠湯主之

得之二三日易於傷寒之辭故曰二三日以上對前章之發汗詳經發汗漸至裏之勢也心中煩結之候不得卧形容病勢陷没之狀也熱結心中得

陥沒之勢而不得下行亦無上行之勢所以不得臥也故熱結心中得陥沒之勢者是為黄連阿膠湯証詳見于方意握機傳

右一章舉自表動而轉裏熱結心中嫌陽勢者以詳黄連阿膠湯証之病位所在及方意也

少陰病得之一二日口中和其背惡寒者當灸之附子湯主之

得之一二日亦易於傷寒之辭詳在裏而病勢動表也口中和謂無熱候詳陰狀之自異也其背惡寒在裏而病勢動表之候背屬體是為裏位必舉

病位詳其結狀以分諸太陽証之惡寒也夫陰類者裏為病位固其所也雖則動表必繫在體陰之所以異也惡寒發動之候非陰之適証是為太陽之適証陰而發動非其情故總目章不舉惡寒辟陽勢也而少陰弟發動陷沒之狀不若太陰之純是以少陰病得之一二日之勢而附子湯証有惡寒少陰之所以異於太陰也麻黃附子細辛湯及麻黃附子甘草湯証皆裏為所在弟皮毛少陰病之變也故少陰之於附子湯猶太陽之於麻黃湯也當灸之明火法也火法亦属發汗故不更設其

抖。體為所在。病勢結而陷沒者。火之所能發而來有發勢此其法也。故於附子湯証得之一二日之勢。遂詳火法也。

右一章舉體為所在而結。無熱候而兼發勢者。以詳附子湯証之病位所在及方意也。詳見于方意握機傳。

少陰病。身體痛。手足寒。骨節痛。脈沈者。附子湯主之。

不曰得之者。詳自裏動而漸達於表之狀。以明陰之所適也。痛者。結而有發勢之候。凡陰類之結者。病勢陷沒而結。陽類之結者。病勢難發而結。陰陽

之勢雖異結於其不得發也無以異爲故於前章
惡寒者則不痛以病勢屬中風也於此章痛者則
不惡寒雖含發勢以病勢陥沒也此文猶云少陰
病身體痛手足寒者附子湯主之少陰病骨節痛
脉沈者附子湯主之也體痛爲裏與身疼不同手
足寒寒者熱之反與厥冷不同然身體痛嫌於身
疼故必徵諸手足寒骨節痛亦疑於陽勢故必徵
諸脉沈此皆具足法或曰擧日數爲易於傷寒之
辯前章附子湯証背惡寒者擧日數而是爲病勢
屬中風者不能無惑焉曰唯何甚也夫雖傷寒病

勢仍少而易者。與中風無異。故太陽篇曰。傷寒五六日中風。謂中風傷寒其勢同也。言傷寒五六日之勢。小柴胡湯証。而有中風之勢。亦前章少陰病得之一二日之勢。附子湯証。而有屬中風之勢也。傷寒。卒經日數。而其証轉化爲中風。其証解後。鮮轉証爲。故於中風。必不舉日數。於傷寒。卒舉日數。詳証之轉化也。故太陽篇不曰傷寒中風五六日。曰傷寒五六日中風。於是乎日數之訓。可例而知也。

右一章舉少陰之正候者。重詳附子湯証之病

位所在及方意對前章詳異同已上三章為終節舉在體而動於心中於表於體者論少陰之正候也始終小節合凡六章是為始大節總論少陰病陷沒而兼發狀也

少陰病下利便膿血者桃花湯主之

少陰病少陰為所在兼經因病勢陷沒下行遂入心胸及於腸胃下利便膿血者是為桃花湯証詳見于方意握機傳凡不問陰陽在裏若表而不得發爲遂入心胸及於腸胃而其力不足以結者下利也故少陰病勢下利証為最多也

右一章擧下利便膿血者。以詳桃花湯証之病位所在及方意也。

少陰病。二三日至四五日。腹痛。小便不利。下利不止。便膿血者。桃花湯主之。

擧日數易於傷寒之辨。詳經麻黃附子甘草湯証而轉也。腹痛。及胃之侯。小便不利。在經之侯。便膿血。結腸胃之侯。結腸胃。而不至乾燥。又為膿血者。病勢陥没之侯。故少陰為所在兼經。病勢及腸胃為便膿血者。是為桃花湯証。

右一章擧轉為桃花湯証者。重詳桃花湯証之

下利上蓋脫不字當補

病位所在及方意以明異同也

少陰病二三日不已至四五日腹痛小便不利四肢沈重疼痛自下利者此為有水氣其人或咳或小便利或下利或嘔者眞武湯主之

二三日不已謂與麻黃附子甘草湯而不已其不已以有裏証也四五日應動裏之常數也腹痛自下利小便不利動裏之侯四肢屬體沈重陥沒而不動之侯疼痛屬表結而有發勢之侯此為有水氣概其証侯也由是觀之體為所在而兼絡及經為陥沒下行之狀而徵發者是為眞武湯証詳見

于方意握機傳。或咳或小便利。或不下利。或嘔其証若不同者。皆因病勢劇易緩急及老少之異也。故在太陽。則發汗汗出不解而為云云証。在少陰則二三日不已。至四五日而為云云証。此其所在同。而其証若不同者。以陰陽之狀勢異也。夫陽者。為發動上行之勢。故發熱。心下悸頭眩。身瞤動。振振。欲擗地。而不下利。夫陰者。為陷沒下行之狀。故腹痛小便不利。四肢沈重疼痛。自下利。故察証候。知病勢為先務。古之訓也。

右一章舉體。為所在。而兼絡及経。病勢陥沒下行而微發者以詳真武湯証之病位所在及方意也舊本叙此章於白通加猪膽汁湯証之下通脉四逆湯証之上達按叙例蓋不古故今由古訓叙諸桃花湯証之下呉茱萸湯証之上以為家傳也此章腹痛小便不利自下利者率同於桃花湯証腹痛小便不利下利不止者而此則四肢沈重疼痛彼則便膿血至此其候不同故此則曰二三日不已至四五日彼則曰二三日至四五日論其病途所在異以詳同異也以上三章為始小節總論下利不經表候者與經

表侯轉入裏者。以明異同同異也。

少陰病。下利六七日。欬而嘔。渴。心煩不得眠者。猪苓湯主之。

六七日。詳轉而結也。渴者。陰陽無異。爲然。得陽勢則爲發動上行之勢。是以脈浮發熱。渴欲飲水。小便不利。其不欬不嘔。以病勢發動也。陰類則爲陷沒下行之狀。是以下利。欬而嘔。渴。心煩不得眠。其無發熱。以病勢陷沒也。又以下利。故小便不利之証隱然。又下利日久。益聚心下而結。所以欬而嘔渴也。所以心煩不得眠也。而猪苓湯証之嘔。因欬

而嘔與宅之嘔不同故相兼少陰暨經以病勢陷沒下行益聚心下而結欬而嘔渴心煩不得眠者是為猪苓湯証詳見于方意握機傳

右一章舉下利兼渴者以詳猪苓湯証之病位所在及方意也舊本叙此章於通脈四逆湯証之下大承氣湯証之上違按叙例蓋不古故今列諸真武湯証叙於呉茱萸湯証之前論其同異明古訓以為家傳也

少陰病吐利手足厥冷煩躁欲死者呉茱萸湯主之

吐利裏為所在而兼絡以病勢陷沒故胃中不和

之候。手足厥冷。又以病勢陥没。薄心胸之候。而吐利手足厥冷者。嫌於四逆湯証。然四逆湯証吐利手足厥冷者。必有汗。呉茱萸湯証無汗。所以異也。又煩躁欲死者。將發而不得發。為激而薄心胸之候。欲死者。形容病勢劇也。故為陥没下行之状。而兼發動上行之勢。病勢劇者。是為呉茱萸湯証。陥没下行之状。微兼發動。而無上行之勢者。是為四逆湯証。此二湯方意不同之辨也。曰太陽病過經十餘日。自極吐下者。是為病勢發越。而經自解之候。而少陰病。吐利。手足厥冷者。是為病勢陥没。而

經不解之候古之所謂執者失之微矣乎微矣乎

証候之機不可先傳者若此

右一章舉吐利病勢劇者以明吳茱萸湯証之

病位所在及方意也詳見于方意握機傳

少陰病下利咽痛胸滿心煩者猪膚湯主之

下利病勢下行之狀咽痛胸滿及心煩病勢陷沒

而結結而兼發勢之候故少陰為所在兼絡及經

以病勢陷沒下行及於咽暨心胸結而兼發勢者

是為猪膚湯証四逆湯証有下利咽痛無胸滿心

煩其淺深不同者可辨而識也

右一章舉下利咽痛。胸滿心煩者。以詳猪膚湯証之病位所在及方意也。而猪膚湯未試。其如功實。以俟後者。前章舉陰狀而兼陽勢者。後章舉陰狀專。而陽勢微者。詳陰狀陽勢。以明下利之同異也。以上三章。為終小節。舉下利兼發動者。以明同異。始終小節凡六章。是為終大節。以觀少陰病。陷沒下行之狀。而兼發勢也。大節二合九十有二章。是為前小段。總論少陰之狀勢也。

少陰病。二三日。咽痛者。可與甘草湯。不差者。與桔梗湯。

二三日。當發汗之常數而病勢薄咽者。病勢陷沒之候。與甘草湯不差者。以有膿血也。故絡為所在病勢陷沒薄咽而急者。為甘草湯証。若有膿血者。所在兼經非甘草湯之所能治焉。必曰不差者。非謂其証彷彿難辨詳咽痛者。或有膿血之証也。而有膿血者。是為桔梗湯証。詳見于方意握機傳

右一章舉咽痛者。以對前章之下利兼咽痛者。詳其類各異。遂明甘草湯及桔梗湯証之病位所在及方意。以詳同異也。

少陰病。咽中傷生瘡。不能語言。聲不出者。苦酒湯主之。

咽中咽之深也。生瘡水血俱結之候。不能語言。詳其痛也。聲不出者。結膈上之候。故少陰為所在而兼經及絡。以病勢陷沒。及於咽中於膈上。水血俱結。而生瘡者。是為苦酒湯証。詳見于方意握機傳

右一章舉水血俱結。動於咽中者。以詳苦酒湯証之病位所在及方意也。

少陰病。咽中痛。半夏散及湯主之。

痛者。結而有發勢之候。絡為所在兼經。以病勢陷

沒。及於咽中。結而兼發勢。不關於膿血及瘡傷者。是為半夏散及湯証。詳見于方意握機傳。

右一章舉以病勢陷沒及咽中結而兼發勢者。以詳半夏散及湯証之病位所在及方意也。已上三章為始小節。以明同異也。

少陰病下利。白通湯主之。

體為所在。以病勢陷沒下利。而不至清穀者。是為白通湯証。而白通湯未試其如功實。以俟後者。

右一章舉下利不至清穀者。以詳白通湯証之所在及方意也。

少陰病。下利。脈微者。與白通湯。利不止。厥逆無脈。乾嘔煩者。白通加猪膽汁湯主之。服湯。脈暴出者死。微續者生。

利不止。厥逆無脈。乾嘔煩者。病勢陷沒。薄於心胸之候。所以加猪膽汁也。病位病勢。率同通脈四逆湯証。而白通加猪膽汁湯証。微兼發狀。為異也。故其証煩。又下利不至清穀者。以其有發勢也。而白通加猪膽汁湯未試。其如功實。以俟後者。

右一章。舉類於通脈四逆湯証者。以詳白通加猪膽汁湯証之病位所在。及方意。對前章之正。

以詳同異也。按白通湯當作四逆湯。白通四逆。其文相近。蓋傳寫之誤也。又其証候無異於四逆湯。且雜病論中。有四逆加猪膽汁湯証。則白通二字。四逆之誤也。足以徵矣。雜病論舊本作通脉四逆加猪膽汁湯。通脉二字。蓋亦傳寫之誤也。按加猪膽汁湯証。四逆湯証。而非通脉四逆湯証。加猪膽汁湯証之前。有通脉四逆湯証。而作諸四逆湯主之。由是觀之。通脉二字傳寫者誤之前後耳。

少陰病。下利清穀。裏寒外熱。手足厥逆。脉微欲絕。身反不惡寒。其人面赤色。或腹痛。或乾嘔。或咽痛。或利止。脉不出者。通脉四逆湯主之。

清穀裏寒之侯。與穀不化不同。爲裏寒。詳其所在也。外熱詳病勢陷沒之状也。凡熱自有發勢。故云外熱。示其熱無發勢也。裏寒外熱。撫其証侯而約其方意也。手足厥逆。脉微者。薄心胸而結之侯。身反不惡寒。其人面赤色者。外熱之侯。不惡寒。以其無發勢也。病勢陷沒之極。或以下。結而有發勢之侯。利止。脉不出者。薄心胸而結之侯。病勢劇者也故少陰。爲所在。兼絡。病勢下行之極。薄心胸。至脉

欲絶乃下利清穀裏寒外熱者是為通脈四逆湯証詳見于方意握機傳通脈者概方意標之分諸四逆湯之方意也

右一章舉下利清穀裏寒外熱者以詳通脈四逆湯証之病位所在及方意以分諸四逆湯証之下利也以上三章為終小節論下利徹兼發勢者與下利無發勢者以辨同異小節二九六章是為前大節總明少陰病勢陷沒者與陷沒下行者也

少陰病得之二三日口燥咽乾者急下之宜大承氣

湯。

得之二三日易於傷寒之辭詳自外動也故二三日法當無裏証而已為內實其暴急猶傷寒之勢故舉其日數以論暴急之勢類於傷寒也口燥咽乾有燥屎之候若有燥屎者應潮熱讝語然病勢陷沒下行無發動上行之勢是以其証但口燥咽乾而已所以稱少陰病也夫發動者與伏結墜陷沒者上行者與下行者其証候因病勢而異者若此故正其証候知病勢為先務是以本論必設陰陽以分病類遂陳病位三等以定其淺深此皆論

病勢之本而欲使其証候所在不相侵凌也宜者
權時之辭
右一章舉陽位爲所在而病勢陷沒者示少陰
之變及大承氣湯証之變以詳陰陽之稱不閔
於寒虛熱實也又明三陰三陽皆非謂其病在
各経也假如猶大承氣湯証病在陽明胃而稱
之少陰病故三陰三陽皆摽其病勢而稱之遂
定之病位是以三陰三陽之稱所在不與者也
少陰病自利清水色純青心下必痛口乾燥者急下
之宜大承氣湯

不云得之者詳不經外候也自利清水經自解之
候色純青者熱實之候心下痛口乾燥乃知有燥
屎所謂病應見于太表者可實而驗矣
右一章亦舉內實之証及無陽明之勢者論陷
沒下行之病勢重數衍其變也
少陰病六七日腹脹不大便者急下之宜大承氣湯
六七日詳其轉也腹脹不大便者內實之候而病
勢陷沒無陽明之勢所以稱少陰也夫腹脹者與
腹滿不同爲腹脹無水氣有燥屎之候腹滿有水
氣勢不得爲燥屎此腹脹之與腹滿其証候不同

之辨也。學者宜詳之。
右一章，反復少陰之變，論陷沒之勢。已上三章
為始，小節詳異同，又明陰類之不必寒虛也。
少陰病，脈沈者，急溫之，宜四逆湯。
脈沈，病勢陷沒之候，故脈沈為少陰病之常候。或
微或微細者，病勢劇而結之候，故通脈四逆湯證
至脈微或絶，以病勢劇，不發動也。四逆湯證，以病
勢易仍動於表，不至微或絶。若微者，四逆加人參
湯；若微欲絶者，四逆加猪膽汁湯主之。此其方意
所以與通脈異也。溫之，詳裏寒也。以下倣之。

右一章詳四逆湯証之病勢以明其病位所在
及方意遂示所以與通脈四逆湯異也
少陰病飲食入口則吐心中温々欲吐復不能吐始
得之手足寒脈弦遅者胸中實不可下也當吐之若
膈上有寒飲乾嘔者不可吐也急温之宜四逆湯
飲食入口則吐心中温々欲吐復不能吐者與乾
嘔不同然以証候相近易混必論而詳之也始得
之非易於中風之辨謂得欲吐不能吐之証也手
足寒脈弦遅者胸中實對膈上有寒飲乾嘔論之
也弦遅抑遏發勢之候陽類而瓜蒂散証者結而

發動上行故為脈微浮也瓜蔕散証以陽位為所在自有陽勢今少陰病勢而得之則陷没之勢抑遏其陽勢是以為脈弦遲手足寒此其應也不可下辟心下温々欲吐而胸中痛調胃承氣湯証也當吐之而不舉其方主論四逆湯証也此其詳畧之法若膈上有寒飲乾嘔者法當脈沈而不舉其脈據前章畧之也不可吐對瓜蔕散証辟其嫌也宜者權時之辭對瓜蔕散証以詳同異也而膈上有寒飲之寒與胸有寒之寒不同為胸有寒之寒病毒之别稱非對熱之辭寒飲之寒謂裏寒對熱

之辭太陽篇云寒實結胸非謂裏寒又非謂病毒對結胸熱實形容無熱証之辭不可不辨而詳焉

右一章論四逆湯証有岐途者而詳之也以上二章為終小節以明少陰病之正証具於四逆湯証也小節二凡五章是為後大節論正變詳異同同異前後大節合凡十有一章是為後小段總論不問寒虛熱實為陷没下行之狀者是為陰也前後小段凡二十有三章是為少陰篇

厥陰第六

厥陰病位與少陽相表裏爲少陽表厥陰裏少陽

結而發為情厥陰結而伏為情此陰陽之狀勢所以相反而所在不與焉病勢蟄伏而結心胸外為陷沒之狀者是為厥陰病勢陽類而為陰狀者與它之陰類固異其勢也故必得諸傷寒無厥陰特病者是以論中無一稱厥陰病者厥陰篇凡七章分為三節首節一章詳厥陰之病位病勢以為厥陰之總目章始節三章論脈正証候以詳厥陰之正証遂論治法而正先後也終節三章論陷沒之勢敷衍厥陰証以上三節凡七章為厥陰篇是為結小段故自少陽篇至厥陰篇小段四合之為一

大段。

厥陰之為病。消渇。氣上撞心。心中疼熱。饑而不欲食。食則吐蚘。下之利不止。

厥讀猶尸蹷之厥也。陰類中厥為候。所以稱厥陰也。故三陰三陽者。專摽病勢之言。而非陰陽之名也。而後世説易者。以太陽少陽太陰少陰。誤為之四象。從是天下雷同。遂以三陰三陽為陰陽之名。夫四象者。天地山澤雷風水火是也。故以三陰三陽為陰陽之名者。其誤可知已矣。然因下利厥逆者。少陰之勢。而非厥陰之勢。少陰下行為主。厥陰陷沒為主所以蟄而為陰狀也消渴結心胸而胃中乾燥之候非伏之候故消渴論厥陰之病位病勢詳厥陰證應消渴之勢而以伏之故不消渴也氣上撞心以其熱蟄其氣上行也病勢發而不得發越之候心中疼熱以外蟄伏結心中之候詳其病位也饑者不關於胃之候不欲食結心胸而上撞之候明病之所在也食則吐蚘心中熱欝之候謂其病證也下之利不已在經而蟄伏之候夫結心胸而薄之極至四肢厥所以名厥陰也故厥陰證經為所在心中為病位結而薄之極為厥者也

而總目章不擧厥者詳其病證所在及其病勢則
厥在其中故雖無厥而有厥之例
右一章是為厥陰之總目章以詳其病位病勢
又概其所在示之也
傷寒脈滑而厥者裏有熱也白虎湯主之手足厥寒
脈細欲絶者當歸四逆湯主之若其人内有久寒者
宜當歸四逆加呉茱萸生薑湯主之
其勢暴急而伏結者曰傷寒太陽篇白虎湯証曰
傷寒脈浮滑浮者發揚之侯滑者結心胸而動之
侯病勢劇者也故白虎湯証脈浮滑為正侯所以

叙於太陽篇也但滑而厥者病勢陷沒其熱蟄伏
不發揚結而薄心中之候脈所以亡浮也其所以
厥也裏有熱詳以伏故外無熱候也凡病結心胸
而發動者渴伏者不渴故白虎湯証伏者皆不渴
也手足厥外証陷沒而伏之候手足寒裏寒之候
脈細欲絶者無結之候病勢急者也故孫絡為所
在而兼少陰及經因有裏寒外証陷沒而伏是為
當歸四逆湯証經為所在兼絡以病勢陷沒熱結
心胸而伏是為白虎湯証其病勢陷沒而伏則同
而病類及所在則不同詳見于方意握機傳內有

久寒者。謂有嘔。內斥府也。

右一章。舉厥陰之正証。以詳白虎湯証。及當歸四逆湯証之病位所在及方意也

病人。手足厥冷。脉乍緊者。邪結在胸。中心中滿而煩。饑不能食者。病在胸中。當須吐之。宜瓜蔕散

不舉病名。詳轉入厥陰也。而瓜蔕散証其劇者。為厥陰証。其易者不爲。然病位與厥陰同。則雖不為厥陰証。可以屬厥陰。爲其劇者。手足厥冷。熱蟄胸中之候。脉乍緊。陷沒而邪結。結而發動之候。乃知熱蟄之勢。所謂厥陰証是也。必曰邪結。詳其劇也

其易者心中滿而煩饑不能食雖結胸中無蟄伏之勢病勢已易則脈固無緊之勢其証亦不至厥冷故不曰邪結曰病詳其易也陽明篇梔子豉湯証曰其外有熱對諸瓜蔕散証病勢陷沒而蟄其外無熱以詳其異又曰手足溫分諸瓜蔕散証手足厥冷重明其異也然瓜蔕散証病勢易而不至厥冷心中滿而煩饑不能食者尚嫌於梔子豉湯証心中懊憹饑不能食者故梔子豉湯証必舉頭汗分諸瓜蔕散証也経為所在熱蟄結胸中者是為瓜蔕散証當讀猶當路之當也須者詳觀察而

決之之辭。宜者。對梔子豉湯証之辭。

右一章舉厥陰証及屬厥陰者。剩易二途之病勢以詳瓜蔕散証之病位所在及方意。遂對前章以明同異也。

傷寒。厥而心下悸者。宜先治水。當服茯苓甘草湯。卻治其厥。不爾。水漬入胃。必作利也。

傷寒厥者。病勢陷沒。熱蟄伏心胸。而薄之侯。所謂厥陰証也。而心下悸者。非薄心胸之侯。乃知厥與心下悸。病途不同。爲於是乎治法有先後。故先治心下悸而後治厥。心下悸已解。則厥証無歧途。故

厥証不更舉治方要在詳其病位所在而先後之
也

右一章舉治法有先後者以示須詳其病位所
在及病勢而先後之也以上三章為始節舉厥
陰之正証以下數衍病位在厥陰者論其類也

傷寒本自寒下醫復吐下之寒格更逆吐下若食入
口即吐乾薑黃連黃芩人參湯主之

傷寒之薄而結或伏者以其難發也寒下之寒讀
猶裏寒之寒也言得傷寒之勢裏寒自動而下利
也格感格也論薄心胸而結之勢也言非特傷寒

之勢薄心胸致此証裏寒感格於傷寒之勢而自動又以更逆吐下薄心胸而結遂致若劇証矣故舉吐下之逆詳陷没之勢也醫者咎之之辭其實設而論之以詳結心胸之劇勢及陷没之狀也食入口即吐結而薄之候體為所在而兼經心胸為病位陷没之勢薄結心胸而吐下或下已但吐者是為乾薑黃連黃芩人參湯証詳見于方意握機傳

右一章雖無厥陰証以病位在厥陰病勢亦厥陰之勢附諸厥陰遂明乾薑黃連黃芩人參湯

証之病位所在及方意也。

熱利下重者。白頭翁湯主之。

厥陰証。因病勢陷沒。下利。而外無發狀。所以與少陰異也。因陷沒之勢。其外無熱侯。故必曰熱利。以辟裏寒也。下重者。結之侯。而有寒熱之二途。故熱利下重者。對寒利下重者也。經為所在。因陷沒之勢。熱結裏。不兼裏寒。而下利下重者。白頭翁湯証也。詳見于方意握機傳。

下利。欲飲水者。以有熱故也。白頭翁湯主之。

欲飲水者。外雖無熱狀。而有熱之侯。承前章熱利

論其外雖無熱狀欲飲水者之為熱候旁示寒利者亦必有寒候以的實應見于太表也

右二章雖無厥証以病位在厥陰病勢為厥陰之勢附諸厥陰以詳白頭翁湯証之病位所在及方意遂明與同也以上三章為終節舉厥陰病勢而着吐下着下利者以敷衍厥陰証也右三節合凡七章是為結小段以終傷寒之論

傷寒論古訓傳卷之五大尾

傷寒論古訓傳跋

醫之學也要在明病之所在明之有訓約為三焉一曰病應二曰病勢三曰鼎足法論之三訓病之所在著矣而古今之方書未嘗言及於茲唯傷寒之書論之至矣盡矣後世祖述者紛然相仍更互辯駁然而要之影響

己。烏知論之三訓乎。夫傷寒論者。上古神聖之所作。其言也簡。其義也幽。其法也。嚴而密。其旨也。約而博。非他書之倫也。獨我　及川夫子有觀于斯。作傷寒論古訓傳。然凡言苟無徵則不信。烏。故傳必徵之於古訓。又必徵之於所在。於是乎知　夫子之不我欺也予嘗涉獵百家。竊意其膚淺枝牿。晚與聞　夫子之餘論。盡棄其所學而學焉。而後渙然冰釋。施諸功實。左右逢源。夫醫道之要。外之何求也。後之覽此篇者。必澣滌舊染。而後病勢可論。所在可明也。予既懲舊染若此。是以不自量孤陋。敢告諸同志云。

文化元年甲子冬至之日

門生城南藤田直拜撰

蒙園藏版

文化元甲子年冬至之日
天保十二年辛丑五月補刻

三都書肆

江戸日本橋壹丁目 須原屋茂兵衛
京都三条通リ 出雲寺文治郎
同二条通衣ノ棚 風月庄右衛門
同寺町通二条下ル 林權兵衛
大坂心斎橋安土町北入 加賀屋善藏
同心斎橋通順慶町南入 堺屋新兵衛